税理士受験シリーズ❻
財務諸表論　総合計算問題集　基礎編

別冊答案用紙

目　　次

〔注〕この答案用紙はTAC税理士講座の責任において作成したものです。

TAC出版
TAC PUBLISHING Group

| 問題 1 | ＜答案用紙＞ | 解答時間 | ／70分 | 自己採点 | ／50点 |

問 1

損 益 計 算 書

O株式会社　　　　　　　自×5年4月1日　至×6年3月31日　　　　　（単位：千円）

摘　　　要	金	額
I　売　上　高		786,000
II　売　上　原　価		
期 首 商 品 棚 卸 高	37,400	
当 期 商 品 仕 入 高		
合　　　計		
差　　引		
売 上 総 利 益		
III　販売費及び一般管理費		
給　料　手　当	62,350	
旅　費　交　通　費		
福　利　厚　生　費	12,670	
租　税　公　課	7,130	
営　業　利　益		
IV　営　業　外　収　益		
受　取　利　息		
有　価　証　券　利　息		
受　取　配　当　金		

Ⅴ 営 業 外 費 用		
支 払 利 息	7,400	
有 価 証 券 売 却 損	200	7,600
経 常 利 益		
Ⅵ 特 別 利 益		
固 定 資 産 売 却 益	150,000	150,000
Ⅶ 特 別 損 失		
税 引 前 当 期 純 利 益		
法人税、住民税及び事業税		
当 期 純 利 益		

貸借対照表等に関する注記

(1)
(2)

問2

貸 借 対 照 表

B株式会社　　　　　　　　　　×6年5月31日　　　　　　　　　　（単位：千円）

科　　　目	金　　額	科　　　目	金　　額
資 産 の 部		負 債 の 部	
Ⅰ 流 動 資 産	（　　　）	Ⅰ 流 動 負 債	（　　　）
現 金 及 び 預 金		支 払 手 形	50,000
受 取 手 形		買 掛 金	
貸 倒 引 当 金	△		
売 掛 金			
貸 倒 引 当 金	△		
有 価 証 券			
Ⅱ 固 定 資 産	（　　　）	Ⅱ 固 定 負 債	（　　　）
1．有形固定資産	（　　　）	社 債	
建 物		退職給付引当金	
備 品		負 債 の 部 合 計	
土 地	316,400	純 資 産 の 部	
2．無形固定資産	（　　　）	Ⅰ 株 主 資 本	（　　　）
権 利 金		1．資 本 金	
3．投資その他の資産	（　　　）	2．	
投 資 有 価 証 券		3．資 本 剰 余 金	（　20,000）
		（1）資 本 準 備 金	20,000
		4．利 益 剰 余 金	（　　　）
		（1）利 益 準 備 金	10,000
差 入 保 証 金		（2）その他利益剰余金	（　　　）
		新 築 積 立 金	10,000
		減 債 積 立 金	10,000
		役員退職慰労積立金	5,000

Ⅲ 繰 延 資 産	（　　　　）	別 途 積 立 金	20,000
		繰越利益剰余金	
		純 資 産 の 部 合 計	
資 産 の 部 合 計		負債及び純資産の部合計	

| 問題２ | ＜答案用紙＞ | 解答時間 | ／70分 | 自己採点 | ／50点 |

貸 借 対 照 表

タカサキ商事株式会社　　　　×22年３月31日　　　　（単位：千円）

科　　目	金　　額	科　　目	金　　額
資 産 の 部		負 債 の 部	
Ⅰ 流 動 資 産	（　　　　）	Ⅰ 流 動 負 債	（　　　　）
現 金 預 金		支 払 手 形	121,000
受 取 手 形		買 掛 金	326,000
売 掛 金		短 期 借 入 金	
有 価 証 券			
商 品		未 払 金	
		未 払 法 人 税 等	
短 期 貸 付 金		未 払 消 費 税 等	22,700
貸 倒 引 当 金	△	預 り 金	
Ⅱ 固 定 資 産	（　　　　）	賞 与 引 当 金	
1. 有形固定資産	（　　　　）	未 払 費 用	
建 物		Ⅱ 固 定 負 債	（　　　　）
減価償却累計額	△	社 債	160,000
車 両		長 期 借 入 金	
減価償却累計額	△		
器 具 備 品		退職給付引当金	274,000
減価償却累計額	△	負 債 の 部 合 計	
土 地		純 資 産 の 部	
2. 無形固定資産	（　102,160）	Ⅰ 株 主 資 本	（　　　　）
借 地 権	102,160	1. 資 本 金	728,000
3. 投資その他の資産	（　　　　）	2. 資 本 剰 余 金	（　70,000）
投資有価証券		（1）資 本 準 備 金	70,000
関 係 会 社 株 式		3. 利 益 剰 余 金	（　　　　）
		（1）利 益 準 備 金	
		（2）その他利益剰余金	（　　　　）

		別 途 積 立 金	
		繰越利益剰余金	
繰延税金資産			
貸 倒 引 当 金	△	純 資 産 の 部 合 計	
資 産 の 部 合 計		負債及び純資産の部合計	

貸借対照表等に関する注記

①
②

損 益 計 算 書

タカサキ商事株式会社　　　　自×21年4月1日　至×22年3月31日　　　　（単位：千円）

摘　　　　要	金	額
Ⅰ　売　　上　　高		
Ⅱ　売　上　原　価		
期　首　商　品　棚　卸　高	225,000	
合　　　　計		
売　上　総　利　益		
Ⅲ　販売費及び一般管理費		
給　料　手　当	1,269,400	
支　払　運　送　料	321,600	
租　税　公　課		
貸　倒　引　当　金　繰　入　額		
退　職　給　付　費　用	36,000	
商　標　権　使　用　料		
減　価　償　却　費		
その他の販売管理費		
営　業　利　益		
Ⅳ　営　業　外　収　益		
受　取　利　息	2,790	
有　価　証　券　利　息	1,500	
受　取　配　当　金	3,300	
仕　入　割　引	4,000	
雑　収　入	1,380	
Ⅴ　営　業　外　費　用		
支　払　利　息		
社　債　利　息	3,000	

経 常 利 益		
VI 特 別 利 益		
固 定 資 産 売 却 益		
税 引 前 当 期 純 利 益		
法人税、住民税及び事業税		
当 期 純 利 益		

| 問題３ | ＜答案用紙＞ | 解答時間 | ／70分 | 自己採点 | ／50点 |

貸 借 対 照 表

甲株式会社　　　　　　　　　　　X30年３月31日　　　　　　　　　　　（単位：千円）

科　　目	金　額	科　　目	金　額
資 産 の 部		負 債 の 部	
Ⅰ 流 動 資 産	（　　　）	Ⅰ 流 動 負 債	（　　　）
現 金 預 金		支 払 手 形	
受 取 手 形		買 掛 金	
売 掛 金		短 期 借 入 金	
有 価 証 券			
商　　品		未 払 金	
貯 蔵 品		未 払 法 人 税 等	
		預 り 金	26,000
		修 繕 引 当 金	
貸 倒 引 当 金			
Ⅱ 固 定 資 産	（　　　）	Ⅱ 固 定 負 債	（　　　）
1.	（　　　）	長 期 借 入 金	
建　　物		退 職 給 付 引 当 金	
備　　品			
土　　地		負 債 の 部 合 計	
		純 資 産 の 部	
2.	（　　　）	Ⅰ	（　　　）
商 標 権		1. 資 本 金	270,000
借 地 権		2.	（　　　）
3.	（　　　）	(1) 資 本 準 備 金	31,500
投 資 有 価 証 券		3.	（　　　）
長 期 預 金		(1) 利 益 準 備 金	27,500
		(2)	（　　　）
		役員退職慰労積立金	
		別 途 積 立 金	74,775
繰 延 税 金 資 産		繰 越 利 益 剰 余 金	

貸 倒 引 当 金		Ⅱ	( )
Ⅲ　繰 延 資 産	( )	１．その他有価証券評価差額金	
開 発 費		純 資 産 の 部 合 計	
資 産 の 部 合 計		負債及び純資産の部合計	

損 益 計 算 書

自 X29年4月1日
甲株式会社　　　至 X30年3月31日　　（単位：千円）

科　　　目	金	額	V 営 業 外 費 用		
I 売 上 高		1,774,570	支 払 利 息	23,000	
II 売 上 原 価					
期首商品棚卸高	110,000		貸倒引当金繰入額		
当期商品仕入高	1,261,000				
合　　　計	1,371,000		経 常 利 益		
期末商品棚卸高			VI 特 別 利 益		
差　　　引					
			VII 特 別 損 失		
売 上 総 利 益					
III 販売費及び一般管理費			役 員 退 職 慰 労 金	28,000	
給 料 手 当	150,000		貸倒引当金繰入額		
租 税 公 課			税引前当期純利益		
			法人税、住民税及び事業税		
減 価 償 却 費					
商 標 権 償 却			当 期 純 利 益		
貸倒引当金繰入額					
修繕引当金繰入額					
その他販売管理費	59,890				
営 業 利 益					
IV 営 業 外 収 益					
受 取 利 息 配 当 金					
投資不動産賃貸料	12,000				
雑 収 入	13,140				

（MEMO）

| 問題4 | ＜答案用紙＞ | 解答時間 | ／80分 | 自己採点 | ／50点 |

1

貸 借 対 照 表

斎藤株式会社　　　　　　　　　　X31年7月31日　　　　　　　　　　（単位：千円）

科　　　　　目	金　　額	科　　　　　目	金　　　額
資 産 の 部		負 債 の 部	
Ⅰ 流 動 資 産	（　　　　）	Ⅰ 流 動 負 債	（　　　　）
現 金 及 び 預 金		支 払 手 形	
受 取 手 形		買 掛 金	
貸 倒 引 当 金	△	短 期 借 入 金	
売 掛 金			
貸 倒 引 当 金	△	未 払 法 人 税 等	
製　　　　品		未 払 消 費 税 等	
材　　　　料		預　 り　 金	24,300
仕 掛 品		賞 与 引 当 金	
未 収 金		Ⅱ 固 定 負 債	（　　　　）
短 期 貸 付 金		社　　　　債	257,500
貸 倒 引 当 金	△	退 職 給 付 引 当 金	
		役員退職慰労引当金	
Ⅱ 固 定 資 産	（　　　　）	負 債 の 部 合 計	
1 有 形 固 定 資 産	（　　　　）	純 資 産 の 部	
建　　　　物		Ⅰ 株 主 資 本	（　　　　）
機 械 装 置		1 資　 本　 金	700,000
車 両 運 搬 具		2 資 本 剰 余 金	（　130,000)
器 具 備 品		(1) 資 本 準 備 金	130,000
土　　　　地	106,700	3 利 益 剰 余 金	（　　　　）
2 無 形 固 定 資 産	（　　　　）	(1) 利 益 準 備 金	43,000
商 標 権		(2) その他利益剰余金	（　　　　）
借 地 権	23,700	別 途 積 立 金	652,772
3 投資その他の資産	（　　　　）	繰 越 利 益 剰 余 金	
投 資 有 価 証 券		4	△

		Ⅱ 評価・換算差額等	( )
		1	
長 期 貸 付 金			
貸 倒 引 当 金	△		
破 産 更 生 債 権 等			
貸 倒 引 当 金	△		
繰 延 税 金 資 産			
Ⅲ 繰 延 資 産	( )		
社 債 発 行 費		純 資 産 の 部 合 計	
資 産 の 部 合 計		負債及び純資産の部合計	

損 益 計 算 書

自　X30年8月1日
斎藤株式会社　　至　X31年7月31日　（単位：千円）

科　　　　　目	金	額
Ⅰ　売　　上　　高		
Ⅱ　売　上　原　価		
売 上 総 利 益		
Ⅲ　販売費及び一般管理費		
営　業　利　益		
Ⅳ　営 業 外 収 益		
受　取　利　息	1,800	
有 価 証 券 利 息	2,200	
受　取　配　当　金	1,500	
仕　入　割　引	13,500	
雑　　収　　入	8,250	
Ⅴ　営 業 外 費 用		
支　払　利　息	13,520	
社　債　利　息	1,200	
貸倒引当金繰入額		
雑　　損　　失		
経　常　利　益		
Ⅵ　特　別　利　益		
固 定 資 産 売 却 益	12,000	12,000
Ⅶ　特　別　損　失		
税引前当期純利益		
法人税、住民税及び事業税		
法 人 税 等 調 整 額		
当　期　純　利　益		

2

＜貸借対照表等に関する注記＞

1.
2．有形固定資産から減価償却累計額　　　千円が控除されている。
3.
4．関係会社に対する金銭債権は次のとおりである。
5．取締役に対する金銭債権が　　　千円ある。
6．取締役に対する金銭債務が　　　千円ある。

3

製造原価報告書

自　X30年8月1日
斎藤株式会社　　至　X31年7月31日　（単位：千円）

科　　　　目	金	額
Ⅰ　材　　料　　費		
期首材料棚卸高	35,000	
当 期 材 料 仕 入 高	976,000	
合　　　計	1,011,000	
期末材料棚卸高		
当 期 材 料 費		
Ⅱ　労　　務　　費		
その他労務費	510,000	
当 期 労 務 費		
Ⅲ　経　　　　費		
その他経費	377,600	
当　期　経　費		
当期総製造費用		
期首仕掛品棚卸高		62,000
合　　　計		
期末仕掛品棚卸高		
当期製品製造原価		

（MEMO）

| 問題5 | ＜答案用紙＞ | 解答時間 | ／70分 | 自己採点 | ／50点 |

貸 借 対 照 表

幡代商事株式会社　　　　　　　　×28年3月31日現在　　　　　　　　（単位：千円）

科　　　　目	金　　額	科　　　　目	金　　額
資 産 の 部		負 債 の 部	
流 動 資 産	（　　　　）	流 動 負 債	（　　　　）
現 金 及 び 預 金		支 払 手 形	198,000
受 取 手 形		買 掛 金	
売 掛 金		短 期 借 入 金	
〔　　　　　　〕		未 払 金	
商　　　　品		未 払 法 人 税 等	
短 期 貸 付 金		未 払 消 費 税 等	54,142
貸 倒 引 当 金		修 繕 引 当 金	
固 定 資 産	（　　　　）	賞 与 引 当 金	
有 形 固 定 資 産	（　　　　）	〔　　　　　　〕	
建　　　　物		〔　　　　　　〕	
車 両 運 搬 具		固 定 負 債	（　　　　）
器 具 備 品		社　　　　債	
土　　　　地		長 期 借 入 金	
建 設 仮 勘 定		退 職 給 付 引 当 金	
無 形 固 定 資 産	（　　　　）	〔　　　　　　〕	
の　れ　ん		負 債 合 計	
商 標 権		純 資 産 の 部	
共 同 施 設 負 担 金		株 主 資 本	（　　　　）
投 資 そ の 他 の 資 産	（　　　　）	資 本 金	900,800
投 資 有 価 証 券		資 本 剰 余 金	（　76,000）
関 係 会 社 株 式		資 本 準 備 金	76,000
長 期 預 金		利 益 剰 余 金	（　　　　）
長 期 貸 付 金		利 益 準 備 金	
繰 延 税 金 資 産		そ の 他 利 益 剰 余 金	（　　　　）

貸 倒 引 当 金		別 途 積 立 金	
繰 延 資 産	（　　　　　）	繰 越 利 益 剰 余 金	
社 債 発 行 費		評価・換算差額等	（　　　　　）
開 　 発 　 費		その他有価証券評価差額金	
		純 資 産 合 計	
資 産 合 計		負債及び純資産合計	

損 益 計 算 書

幡代商事　　　　自　×27年４月１日
株式会社　　　　至　×28年３月31日（単位：千円）

摘　　要	金	額
売 上 高		2,665,600
売 上 原 価		
期首商品棚卸高	186,000	
当期商品仕入高		
〔　　　　　〕		
合　　計		
〔　　　　　〕		
差　　引		
〔　　　　　〕		
売 上 総 利 益		
販売費及び一般管理費		
給 料 手 当	320,000	
租 税 公 課		
減 価 償 却 費		
の れ ん 償 却		
商 標 権 償 却		
〔　　　　　〕		
〔　　　　　〕		
貸倒引当金繰入額		
修繕引当金繰入額		
賞与引当金繰入額		
〔　　　　　〕		
退 職 給 付 費 用		
その他の販売管理費		
営 業 利 益		

摘　　要	金	額
営 業 外 収 益		
受 取 利 息	8,800	
有 価 証 券 利 息	3,000	
受 取 配 当 金	10,840	
〔　　　　　〕		
雑 収 入	5,940	
営 業 外 費 用		
支 払 利 息	14,100	
社 債 利 息		
社 債 発 行 費 償 却		
〔　　　　　〕		
〔　　　　　〕		
〔　　　　　〕		
雑 損 失	8,014	
経 常 利 益		
特 別 利 益		
固 定 資 産 売 却 益	95,600	95,600
特 別 損 失		
〔　　　　　〕		
〔　　　　　〕		
税引前当期純利益		
法人税、住民税及び事業税		
法 人 税 等 調 整 額		
当 期 純 利 益		

＜貸借対照表等に関する注記＞

① 関係会社に対する金銭債権は次のとおりである。
短期金銭債権　　　　　　千円　　長期金銭債権　　　　　　千円
② 関係会社に対する長期金銭債務が　　　　　千円ある。

（MEMO）

問題6	＜答案用紙＞	解答時間	／80分	自己採点	／50点

問1 　株式会社マルヒロ（第30期）の貸借対照表及び損益計算書

貸 借 対 照 表

株式会社マルヒロ　　　　　　　　×4年3月31日　　　　　　　　（単位：千円）

科　　目	金　　額	科　　目	金　　額
資 産 の 部		負 債 の 部	
[　　　　　]	（　　　　）	[　　　　　]	（　　　　）
現 金 預 金	（　　　　）	支 払 手 形	（　　　　）
受 取 手 形	（　　　　）	買 掛 金	240,000
売 掛 金	（　　　　）	[　　　　　]	（　　　　）
商　　　品	（　　　　）	未 払 金	（　　　　）
貯 蔵 品	3,200	未払法人税等	（　　　　）
未 収 入 金	（　　　　）	未払消費税等	（　　　　）
保 険 未 決 算	（　　　　）	[　　　　　]	（　　　　）
短 期 貸 付 金	（　　　　）	[　　　　　]	（　　　　）
立 替 金	（　　　　）	長 期 借 入 金	（　　　　）
[　　　　　]	（　　　　）	退職給付引当金	（　　　　）
貸 倒 引 当 金	（△　　　）	営 業 保 証 金	25,000
[　　　　　]	（　　　　）	[　　　　　]	（　　　　）
[　　　　　]	（　　　　）	負 債 の 部 合 計	（　　　　）
建　　　物	（　　　　）	純 資 産 の 部	
器 具 備 品	（　　　　）	[　　　　　]	（　　　　）
[　　　　　]	（　　　　）	資 本 金	（　　　　）
土　　　地	（　　　　）	[　　　　　]	（　　　　）
[　　　　　]	（　　　　）	[　　　　　]	（　　　　）
商 標 権	（　　　　）	資 本 準 備 金	（　　　　）
ソ フ ト ウ ェ ア	（　　　　）	その他資本剰余金	（　　　　）
[　　　　　]	（　　　　）	[　　　　　]	（　　　　）
投 資 有 価 証 券	（　　　　）	利 益 準 備 金	（　　　　）
[　　　　　]	（　　　　）	その他利益剰余金	（　　　　）

[ ]	( )	別 途 積 立 金	1,400
[ ]	( )	繰越利益剰余金	( )
繰 延 税 金 資 産	( )	[ ]	( )
貸 倒 引 当 金	(△)	その他有価証券評価差額金	( )
		純 資 産 の 部 合 計	( )
資 産 の 部 合 計	( )	負債及び純資産の部合計	( )

損 益 計 算 書

株式会社マルヒロ　　　　　　自×３年４月１日　至×４年３月31日　　　　　　（単位：千円）

摘　　　　　要	金	額
売　　上　　高		（　　　　　　　）
売　上　原　価		（　　　　　　　）
［　　　　　　　　　］		（　　　　　　　）
販 売 費 及 び 一 般 管 理 費		（　　　　　　　）
［　　　　　　　　　］		（　　　　　　　）
［　　　　　　　　　］		
受　取　利　息	700	
有 価 証 券 利 息	（　　　　　　　）	
受 取 配 当 金	（　　　　　　　）	
雑　　収　　入	（　　　　　　　）	（　　　　　　　）
［　　　　　　　　　］		
支　払　利　息	（　　　　　　　）	
［　　　　　　　　　］	（　　　　　　　）	
［　　　　　　　　　］	（　　　　　　　）	
雑　　損　　失	（　　　　　　　）	（　　　　　　　）
［　　　　　　　　　］		（　　　　　　　）
［　　　　　　　　　］		
投 資 有 価 証 券 売 却 益	（　　　　　　　）	
債　務　免　除　益	（　　　　　　　）	
［　　　　　　　　　］	（　　　　　　　）	（　　　　　　　）
［　　　　　　　　　］		
商　品　評　価　損	（　　　　　　　）	
貸 倒 引 当 金 繰 入 額	（　　　　　　　）	
［　　　　　　　　　］	（　　　　　　　）	（　　　　　　　）
［　　　　　　　　　］		（　　　　　　　）
法人税、住民税及び事業税	（　　　　　　　）	
法 人 税 等 調 整 額	（　　　　　　　）	（　　　　　　　）
［　　　　　　　　　］		（　　　　　　　）

問2 個別注記表の一部

貸借対照表等に関する注記			
（注1）			
（注2）			
（注3）　　関係会社に対する金銭債権は次のとおりである。			
（注4）　　有形固定資産から減価償却累計額がそれぞれ控除されている。			
建物　　　　　千円　器具備品　　　　　千円　リース資産　　　　　千円			
（注5）　　土地から圧縮額　　　　　千円が控除されている。			
（注6）			
損益計算書に関する注記			
（注1）			
（注2）			

問3 販売費及び一般管理費の明細

(単位：千円)

科　　　目	金　　　額
給　料　手　当	(　　　　　)
役　員　報　酬	(　　　　　)
賞　　　　　与	72,700
法　定　福　利　費	79,920
広　告　宣　伝　費	(　　　　　)
[　　　　　　　　　]	(　　　　　)
旅　費　交　通　費	11,000
租　税　公　課	(　　　　　)
消　耗　品　費	4,000
商　標　権　償　却	(　　　　　)
減　価　償　却　費	(　　　　　)
ソフトウェア導入費	(　　　　　)
ソフトウェア償却	(　　　　　)
[　　　　　　　　　]	(　　　　　)
[　　　　　　　　　]	(　　　　　)
貸倒引当金繰入額	(　　　　　)
その他販売費及び一般管理費	217,610
合　　　　　計	(　　　　　)

（MEMO）

| 問題７ | ＜答案用紙＞ | 解答時間 | ／80分 | 自己採点 | ／50点 |

貸 借 対 照 表

株式会社ナイン　　　　　　　　　　X28年３月31日　　　　　　　　　　（単位：千円）

科　　　　　　　目	金　　額	科　　　　　　　目	金　　額
資　産　の　部		負　債　の　部	
[　　　　　　　]	（　　　　　）	[　　　　　　　]	（　　　　　）
現　金　預　金		支　払　手　形	100,070
受　取　手　形		買　掛　金	116,840
売　　掛　　金		[　　　　　　　]	
有　価　証　券		[　　　　　　　]	
商　　　　　品		未　　払　　金	
貯　　蔵　　品		[　　　　　　　]	
[　　　　　　　]		[　　　　　　　]	
未　収　入　金	11,200	預　　り　　金	
前　払　費　用		賞　与　引　当　金	
短　期　貸　付　金		[　　　　　　　]	
貸　倒　引　当　金	△	[　　　　　　　]	（　　　　　）
[　　　　　　　]	（　　　　　）	長　期　借　入　金	
[　　　　　　　]	（　　　　　）	退　職　給　付　引　当　金	714,000
建　　　　　物		営　業　保　証　金	15,500
器　具　備　品		負　債　の　部　合　計	
減　価　償　却　累　計　額	△	純　資　産　の　部	
[　　　　　　　]		[　　　　　　　]	（　　　　　）
土　　　　　地		資　　本　　金	
[　　　　　　　]	（　　　　　）	[　　　　　　　]	（　154,000）
の　　れ　　ん	206,000	資　本　準　備　金	130,000
ソ　フ　ト　ウ　ェ　ア		その他資本剰余金	24,000
その他無形固定資産	7,320	[　　　　　　　]	（　　　　　）
[　　　　　　　]	（　　　　　）	利　益　準　備　金	13,000
投　資　有　価　証　券		その他利益剰余金	（　　　　　）
[　　　　　　　]		別　途　積　立　金	114,000

長 期 貸 付 金		繰 越 利 益 剰 余 金	
[ ]		[ ]	
繰 延 税 金 資 産		[ ]	( )
貸 倒 引 当 金	△	[ ]	
		純 資 産 の 部 合 計	
資 産 の 部 合 計		負債及び純資産の部合計	

貸借対照表等に関する注記

（注１）
（注２）関係会社に対する金銭債権・債務は次のとおりである。
（注３）

損 益 計 算 書

株式会社ナイン　　　　　自Ｘ27年４月１日　至Ｘ28年３月31日　　　　　（単位：千円）

摘　　　　　要	金	額
売　　　上　　　高		
売　　上　　原　　価		
[　　　　　　　　　]		
販 売 費 及 び 一 般 管 理 費		
[　　　　　　　　　]		
[　　　　　　　　　]		
受 取 利 息 及 び 配 当 金	16,490	
[　　　　　　　　　]		
[　　　　　　　　　]		
雑　　　収　　　入	9,190	
[　　　　　　　　　]		
支　　払　　利　　息	8,552	
貸 倒 引 当 金 繰 入 額		
雑　　　損　　　失		
[　　　　　　　　　]		
[　　　　　　　　　]		
[　　　　　　　　　]		
[　　　　　　　　　]		
[　　　　　　　　　]		
商　品　評　価　損		
貸 倒 引 当 金 繰 入 額		
[　　　　　　　　　]		
[　　　　　　　　　]		
[　　　　　　　　　]		
[　　　　　　　　　]		

損益計算書に関する注記

（注１）
（注２）

（MEMO）

問題8	＜答案用紙＞	解答時間	／80分	自己採点	／50点

問1

貸 借 対 照 表

株式会社スモモ商事　　　　×4年3月31日　　　　（単位：千円）

科　　　目	金　　　額	科　　　目	金　　　額
資 産 の 部		負 債 の 部	
流 動 資 産	（　　　　）	流 動 負 債	（　　　　）
現 金 預 金		支 払 手 形	
受 取 手 形		買 掛 金	
売 掛 金		短 期 借 入 金	
電 子 記 録 債 権		[　　　　　　]	
有 価 証 券		未 払 金	
商　　　品		[　　　　　　]	
貯 蔵 品		[　　　　　　]	
[　　　　　　]		[　　　　　　]	
[　　　　　　]		預 り 金	
貸 倒 引 当 金		[　　　　　　]	
固 定 資 産	（　　　　）	固 定 負 債	（　　　　）
有 形 固 定 資 産	（　　　　）	長 期 借 入 金	
建　　　物		[　　　　　　]	
車 両 運 搬 具		[　　　　　　]	
器 具 備 品		[　　　　　　]	
減価償却累計額		負 債 の 部 合 計	
土　　　地		純 資 産 の 部	
無 形 固 定 資 産	（　　　　）	株 主 資 本	（　　　　）
ソ フ ト ウ ェ ア		資 本 金	
投資その他の資産	（　　　　）	資 本 剰 余 金	（　　　　）
投 資 有 価 証 券		資 本 準 備 金	
[　　　　　　]		その他資本剰余金	
長 期 貸 付 金		利 益 剰 余 金	（　　　　）

[　　　　　　]		利 益 準 備 金	
不 渡 手 形		その他利益剰余金	（　　　　　）
繰 延 税 金 資 産		役員退職慰労積立金	
貸 倒 引 当 金		繰越利益剰余金	
		[　　　　　　]	
		評価・換算差額等	（　　　　　）
		その他有価証券評価差額金	
		純 資 産 の 部 合 計	
資 産 の 部 合 計		負債及び純資産の部合計	

損 益 計 算 書

株式会社スモモ商事　　　自×3年4月1日　至×4年3月31日　　　　　（単位：千円）

摘　　　　　　要	金	額
売　　上　　高		
売　　上　　原　　価		
売　上　総　利　益		
販売費及び一般管理費		
営　業　利　益		
営　業　外　収　益		
受　取　利　息	340	
受　取　配　当　金	2,500	
[　　　　　　　]		
[　　　　　　　]		
[　　　　　　　]		
[　　　　　　　]		
雑　　収　　入		
営　業　外　費　用		
支　払　利　息		
[　　　　　　　]		
貸　倒　引　当　金　繰　入　額		
雑　　損　　失		
経　常　利　益		
特　別　損　失		
[　　　　　　　]		
[　　　　　　　]		
[　　　　　　　]		
[　　　　　　　]		
貸　倒　引　当　金　繰　入　額		
税　引　前　当　期　純　利　益		
[　　　　　　　]		
[　　　　　　　]		
当　期　純　利　益		

問2 株主資本等変動計算書

①	②	③	④

問3 株主資本等変動計算書に関する注記

①	当該事業年度の末日における発行済株式の数	普通株式	株
②	当該事業年度の末日における自己株式の数	普通株式	株
③	当該事業年度中に行った剰余金の配当に関する事項	配当の総額	千円

| 問題9 | ＜答案用紙＞ | 解答時間 | ／80分 | 自己採点 | ／50点 |

問1

貸 借 対 照 表

Ｚ株式会社　　　　　　　　　　×23年3月31日現在　　　　　　　　　　（単位：千円）

資　産　の　部			負　債　の　部		
科　　目	金　額		科　　目	金　額	
I　流　動　資　産	（	）	I　流　動　負　債	（	）
現　金　預　金	（	）	支　払　手　形	（	）
受　取　手　形	（	）	買　　掛　　金	（	）
貸　倒　引　当　金	（	）	短　期　借　入　金	（	）
売　　掛　　金	（	）	（　　　　　　　）	（	）
貸　倒　引　当　金	（	）	未　　払　　金	（	）
製　　　　品	（	）	（　　　　　　　）	（	）
仕　　掛　　品	（	）	（　　　　　　　）	（	）
材　　　　料	（	）	未　払　費　用	（	）
未　　収　　金	（	）	賞　与　引　当　金	（	）
貸　倒　引　当　金	（	）	役員賞与引当金	（	）
（　　　　　　　）	（	）			
固定資産購入手付金	（	）	II　固　定　負　債	（	）
仮払旅費交通費	（	）	長　期　借　入　金	（	）
			退職給付引当金	（	）
II　固　定　資　産	（	）	営　業　保　証　金	（	）
有形固定資産	（	）	負　債　合　計	（	）
建　　　　物	（	）	純　資　産　の　部		
機　械　装　置	（	）	I　株　主　資　本	（	）
工具、器具及び備品	（	）	資　　本　　金	（	）
土　　　　地	（	）	資　本　剰　余　金	（	）
			資　本　準　備　金	（	）
無形固定資産	（	）	その他資本剰余金	（	）
ソ　フ　ト　ウ　ェ　ア	（	）	利　益　剰　余　金	（	）
ソフトウェア仮勘定	（	）	利　益　準　備　金	（	）

			その他利益剰余金	(	)
投資その他の資産	(	)	別 途 積 立 金	(	)
投 資 有 価 証 券	(	)	繰越利益剰余金	(	)
（　　　　　　）	(	)	自 己 株 式	(	)
長 期 預 金	(	)	**Ⅱ　評価・換算差額等**	(	)
長 期 未 収 金	(	)	（　　　　　　　　）	(	)
貸 倒 引 当 金	(	)			
ゴ ル フ 会 員 権	(	)			
貸 倒 引 当 金	(	)			
（　　　　　　）	(	)			
貸 倒 引 当 金	(	)			
繰 延 税 金 資 産	(	)			
			純 資 産 合 計	(	)
資 産 合 計	(	)	負債及び純資産合計	(	)

損 益 計 算 書

自×22年4月1日

Z株式会社　　　　　　　　至×23年3月31日　　　　　　　（単位：千円）

科　　　　目	金		額	
売　　上　　高			（　　　　　）	
売　上　原　価			（　　　　　）	
売　上　総　利　益			（　　　　　）	
販売費及び一般管理費			（　　　　　）	
営　業　利　益			（　　　　　）	
営　業　外　収　益				
受取利息及び配当金	（　　　　）			
（　　　　　　　　）	（　　　　）			
投資不動産賃貸料	（　　　　）		（　　　　　）	
営　業　外　費　用				
支　払　利　息	（　　　　）			
（　　　　　　　　）	（　　　　）			
貸倒引当金繰入額	（　　　　）			
遊休建物減価償却費	（　　　　）		（　　　　　）	
経　常　利　益			（　　　　　）	
特　別　損　失				
貸　倒　損　失	（　　　　）			
貸倒引当金繰入額	（　　　　）			
ゴルフ会員権評価損	（　　　　）		（　　　　　）	
税引前当期純利益			（　　　　　）	
法人税、住民税及び事業税	（　　　　）			
法人税等調整額	（　　　　）		（　　　　　）	
当　期　純　利　益			（　　　　　）	

問2　製造原価明細書（一部）

（単位：千円）

科　　目	金　　額	
Ⅰ　材　　料　　費		（　　　　　　　）
Ⅱ　労　　務　　費		
賞 与 引 当 金 繰 入 額	（　　　　　　）	
退 職 給 付 費 用	（　　　　　　）	
そ の 他 労 務 費	（　　　　　　）	（　　　　　　　）
Ⅲ　経　　　　　費		
減 価 償 却 費	（　　　　　　）	
ソ フ ト ウ ェ ア 償 却	（　　　　　　）	
材 料 減 耗 損	（　　　　　　）	
そ の 他 経 費	（　　　　　　）	（　　　　　　　）
当 期 総 製 造 費 用		（　　　　　　　）

問3

イ		ロ		ハ	
ニ		ホ		ヘ	

問題10	＜答案用紙＞	解答時間	／80分	自己採点	／50点

問1 乙商事株式会社の第30期の貸借対照表及び損益計算書

貸 借 対 照 表

X2021年3月31日現在 （単位：千円）

資 産 の 部		負 債 の 部	
科　目	金　額	科　目	金　額
I　流 動 資 産	（　　　　　）	I　流 動 負 債	（　　　　　）
現 金 預 金	（　　　　　）	買 掛 金	297,670
受 取 手 形	（　　　　　）	短 期 借 入 金	（　　　　　）
売 掛 金	（　　　　　）	〔　　　　　〕	（　　　　　）
商 品	（　　　　　）	未 払 金	44,900
貯 蔵 品	（　　　　　）	未 払 法 人 税 等	（　　　　　）
〔　　　　　〕	（　　　　　）	未 払 消 費 税 等	（　　　　　）
貸 倒 引 当 金	（　　　　　）	預 り 金	33,600
II　固 定 資 産	（　　　　　）	未 払 費 用	（　　　　　）
有 形 固 定 資 産	（　　　　　）	賞 与 引 当 金	（　　　　　）
建 物	（　　　　　）	II　固 定 負 債	（　　　　　）
車 両	（　　　　　）	長 期 借 入 金	（　　　　　）
〔　　　　　〕	（　　　　　）	退 職 給 付 引 当 金	（　　　　　）
土 地	39,174	〔　　　　　〕	（　　　　　）
建 設 仮 勘 定	（　　　　　）	負 債 合 計	（　　　　　）
無 形 固 定 資 産	（　　　　　）	純 資 産 の 部	
ソ フ ト ウ ェ ア	（　　　　　）	I　株 主 資 本	（　　　　　）
の れ ん	（　　　　　）	資 本 金	108,000
〔　　　　　〕	（　　　　　）	資 本 剰 余 金	（　　　　　）
投 資 有 価 証 券	（　　　　　）	〔　　　　　〕	（　　　　　）
〔　　　　　〕	（　　　　　）	〔　　　　　〕	（　　　　　）
〔　　　　　〕	（　　　　　）	利 益 剰 余 金	（　　　　　）
〔　　　　　〕	（　　　　　）	〔　　　　　〕	（　　　　　）
差 入 保 証 金	（　　　　　）	〔　　　　　〕	（　　　　　）
繰 延 税 金 資 産	（　　　　　）	繰 越 利 益 剰 余 金	（　　　　　）

貸 倒 引 当 金	(	)	自 己 株 式	(	)
Ⅲ 繰 延 資 産	(	)	Ⅱ 評価・換算差額等	(	)
〔　　　　　〕	(	)	その他有価証券評価差額金	(	)
			純 資 産 合 計	(	)
資 産 合 計	(	)	負債及び純資産合計	(	)

損 益 計 算 書

自　X2020年４月１日

至　X2021年３月31日　　　　　　　　（単位：千円）

科　　　　　目	金	額
売　　上　　高		（　　　　　）
売　上　原　価		（　　　　　）
〔　　　　　　　　〕		（　　　　　）
販売費及び一般管理費		（　　　　　）
〔　　　　　　　　〕		（　　　　　）
営　業　外　収　益		
受　取　利　息	（　　　　　）	
受　取　配　当　金	（　　　　　）	
有　価　証　券　利　息	（　　　　　）	
〔　　　　　　〕	（　　　　　）	
雑　　収　　入	1,400	（　　　　　）
営　業　外　費　用		
支　払　利　息	（　　　　　）	
雑　　損　　失	2,000	（　　　　　）
〔　　　　　　〕		（　　　　　）
特　別　利　益		
国　庫　補　助　金　収　入	2,000	
〔　　　　　　〕	（　　　　　）	（　　　　　）
特　別　損　失		
〔　　　　　　〕	（　　　　　）	
〔　　　　　　〕	（　　　　　）	（　　　　　）
〔　　　　　　〕		（　　　　　）
法人税、住民税及び事業税	（　　　　　）	
法　人　税　等　調　整　額	（　　　　　）	（　　　　　）
〔　　　　　　〕		（　　　　　）

問２　乙商事株式会社の第30期の株主資本等変動計算書の各金額

（単位：千円）

①	（　　　　　）	②	（　　　　　）	③	（　　　　　）
④	（　　　　　）				

答案用紙の使い方

この冊子には、答案用紙がとじ込まれています。下記を参照にご利用ください。

STEP 1

一番外側の色紙（本紙）を残して、答案用紙の冊子を取り外してください。

冊子を取り外す

STEP 2

取り外した冊子の真ん中にあるホチキスの針は取り外さず、冊子のままご利用ください。

● 作業中のケガには十分お気をつけください。

● 取り外しの際の損傷についてのお取り替えはご遠慮願います。

答案用紙はダウンロードもご利用いただけます。
TAC出版書籍販売サイト、サイバーブックストアにアクセスしてください。

| TAC出版 | 検索 |

2025年度版
TAC税理士講座
税理士受験シリーズ

6

財務諸表論

総合計算問題集 基礎編

TAC出版
TAC PUBLISHING Group

はじめに

　本書は、税理士試験の財務諸表論の受験者を対象として、財務諸表論の計算問題を攻略するための基礎力の養成を目的とした演習書として編集されたものである。

　近年の計算問題においては、様々な形式の個別問題も数多く出題されているが、依然として計算問題の中心的出題内容は、貸借対照表及び損益計算書の作表問題及びこれらに関する注記事項の記載といった総合問題が出題されている。

　財務諸表論の計算問題で作成が求められる貸借対照表や損益計算書は、主に会社法に基づく正式なフォームによるものである（一部、金融商品取引法に基づく内容が出題される場合もある。）。

　そのためにはまず、会社法に基づく貸借対照表や損益計算書の正式なフォームを正確にマスターしなければならない。

　また、総合問題を攻略するためには、個々の論点における会計処理方法をマスターしたうえで、その処理した項目につき、正確に金額が集計できなければならない。正確に金額を集計するためには、個々の会計処理方法のマスターに加え、「集計力」も身につけなければならない。

　この「集計力」を身に付けるためには、総合問題を反復して解くことが必要になる。反復して解くことにより、素早く、正確に計算問題を解くことができるようになり、計算処理のスピードも上がるようになる。

　本書を利用することで受験生諸氏が上記に示した能力を身につけ、一人でも多くの受験生が合格の栄冠を勝ち取られることを切に願う次第である。

ＴＡＣ税理士講座

本書の特長

1　計算問題攻略の基礎力の養成

　本書は、財務諸表論の計算問題を攻略するための基礎力の養成を目的とした演習書です。問題1の解答解説の後には、計算問題の解法手順を掲載しています。

2　制限時間を明示

　問題にはすべて標準的な解答時間を制限時間として付しています。制限時間内の解答を目標としてください。

3　最新の改正に対応

　最新の会計基準等の改正等に対応しています。

（令和6年7月までに公表された会計基準等に準拠）

4　難易度を明示

　問題ごとに、難易度を付しています。到達レベルにあわせて問題を選択することができます。

　　　Aランク…基本問題

　　　Bランク…やや難しい問題

　　　Cランク…本試験レベルの難しい問題

5　本試験の出題の傾向と分析を掲載

　本試験の出題傾向と分析を掲載しています。学習を進めるにあたって、参考にしてください。

（注）本書掲載の「出題の傾向と分析」は、「2024年度版　財務諸表論　過去問題集」に掲載されていたものになります。

本書の利用方法

1 第1回目

(1) まずは各問題に示されている制限時間内で解答を作成します。

(2) 問題を解き終わった後、解答と照らし合わせ、間違えた箇所の分析（なぜ間違えたのか）を行います。なお、分析にあたっては間違えた箇所を次の2つに分類して把握するようにしてください。

① 各論点の処理方法又は表示方法がマスターできていなかったために間違えた問題

② 金額の集計ミスにより間違えた問題

①を原因とする間違いについては、各論点の処理方法又は表示方法を再確認し、正確にマスターすることが必要となります。

なお、各論点の処理方法又は表示方法を正確にマスターするにあたっては、本書の姉妹書である『完全無欠の総まとめ』『個別計算問題集』を利用することをお勧めします。

また、②を原因とする間違いについては、総合問題を反復して解くことが必要となります。反復して解くことで総合問題の出題パターンに慣れ、集計力を養うようにすると同時に、どのような箇所で集計ミスが発生するかを把握します。

2 第2回目

第1回目と同じように、各問題に示されている制限時間内で解答を作成します。

同じように解くことで、第1回目で間違えた箇所がきちんと再確認でき、マスターできているかをチェックします。同時に、集計力養成のために反復して解くことも重要です。

3 第3回目

各問題に示されている制限時間より10分程度短縮して問題を解きます。

本試験問題では、ボリュームの多い問題が出題される場合もあり、制限時間内で問題を解き、合格に必要な点数を獲得するためには、スピードと正確性が要求されます。

時間を短縮して解くことにより、スピードと正確性を養うようにしてください。

4 チェック欄の利用方法

目次には問題ごとにチェック欄を設けてあります。実際に問題を解いた後に、日付、得点、解答時間などを記入することにより、計画的な学習、弱点の発見ができます。

5 答案用紙の利用方法

「答案用紙」は、ダウンロードでもご利用いただけます。Cyber Book Store（TAC出版書籍販売サイト）の「解答用紙ダウンロード」にアクセスしてください。

https://bookstore.tac-school.co.jp

6 税理士受験シリーズの利用方法

本書を利用して最小の努力で最大の効果を生むためには、本書とともに、本書の姉妹書である『個別計算問題集』『過去問題集』を利用することをお勧めします。

その際、下記のような利用方法を1つの目安として考えてください。

```
┌─────────┐     ┌─────────┐     ┌─────────────────┐
│個別計算問題集│ ⇨ │総合計算問題集│ ⇨ │   過 去 問 題 集   │
└─────────┘     └─────────┘     └─────────────────┘
```

《手順1》

　個別計算問題集は、すべての論点を網羅的に学習し、個々の論点をマスターすることを主眼に置くものである。

　確実な知識を身につけることが目的であるから、スピードは特に意識する必要はない。

《手順1》

　過去問題集は個別・総合計算問題集と違い、反復練習により計算力を高めていくという位置づけのものではない。

　この位置づけをはっきりさせたうえで利用してほしい。

《手順2》

　総合計算問題集は、個別計算問題集で身につけた知識をより実践的な問題を通して確認するためのものである。

　また、確実な知識を身につけることも大切だが総合問題を解く場合には、制限時間内でいかに要領よく解答するかということも十分意識して解くことが大切である。

《手順2》

　個別・総合計算問題集をかなりやり込んだ者が、実際の本試験問題に触れ、問題文の読み方を理解し、また、実際に本試験問題を解くことによって本試験と同形式の答案を作成し、その出題の特徴、時間配分、得点するポイントなどを体得するために利用する。

《手順3》

　総合問題を解いてみて不得意な論点が明らかとなれば、再び、個別計算問題集に戻って不得意論点の克服を心がける。

《手順3》

　過去問題を解き基礎力不足が明らかとなれば、再び、個別・総合計算問題集に戻って基礎力の充実を心がける。

目 次

出題の傾向と分析

計算問題について

① 過去10年間の出題内容

イ 総合問題での出題内容

内　容		第64回	第65回	第66回	第67回	第68回	第69回	第70回	第71回	第72回	第73回
I　出題形式	1　商企業を前提とする総合問題	○	○		○	○	○		○	○	○
	2　製造業を前提とする総合問題			○				○			
	3　財務諸表等規則に基づく総合問題										
II　現金・預金	1　現金・預金の処理	○	○	○	○	○	○	○	○	○	○
	2　当座預金・当座借越の処理	○	○	○	○	○	○	○	○	○	○
	3　運用目的の金銭信託										
III　金銭債権	1　通常の金銭債権の処理	○	○	○	○	○	○	○	○	○	○
	2　不良債権に関する処理	○	○	○	○	○	○	○	○	○	○
	3　貸倒見積高の算定	○	○	○	○	○	○	○	○	○	○
	4　割引手形・裏書手形										
	5　償却債権取立益	○			○						
	6　電子記録債権					○					
IV　有価証券	1　有価証券の期末評価	○	○	○	○	○	○	○	○	○	○
	2　有価証券の購入・売却								○		
	3　有価証券の売買の認識										
	4　証券投資信託										
	5　受取配当の処理	○			○						○
V　棚卸資産	1　棚卸資産の期末評価		○	○	○	○	○	○	○	○	○
	2　売上原価の付加項目					○	○	○	○	○	○
	3　売価還元法	○									
	4　貯蔵品の処理	○				○			○		
VI　有形固定資産	1　減価償却		○	○	○		○	○		○	○
	2　売却に関する処理						○		○		○
	3　除却・廃棄に関する処理										
	4　買換に関する処理										
	5　災害に関する処理									○	
	6　資本的支出・収益的支出		○	○			○				
	7　建設仮勘定に関する処理										
	8　投資不動産										
	9　休止固定資産					○					
	10　有形固定資産の貸与										

回数 内容		第64回	第65回	第66回	第67回	第68回	第69回	第70回	第71回	第72回	第73回
	11 ファイナンス・リース取引	○	○		○			○		○	
	12 減損処理	○	○		○	○		○	○		
	13 資産除去債務	○		○						○	
	14 圧縮記帳	○								○	
VII 無形固定資産	1 無形固定資産の償却										
	2 不動産取引に伴う権利金等の処理										
	3 ソフトウェア	○		○		○				○	○
VIII 繰延資産	1 繰延資産の処理	○					○				
	2 研究開発費										
IX 金銭債務	1 通常の金銭債務の処理			○	○	○	○			○	○
	2 電子記録債務										○
	3 社債	○					○		○		○
X 引当金	1 賞与引当金	○	○	○	○	○	○		○		○
	2 役員賞与引当金						○				○
	3 役員退職慰労引当金									○	
	4 修繕引当金										
	5 債務保証損失引当金										
	6 関係会社事業損失引当金						○				
XI 退職給付会計	1 原則法	○			○				○	○	
	2 簡便法		○	○			○	○			○
XII 純資産会計	1 新株発行	○	○		○				○		
	2 剰余金の配当		○	○	○	○					○
	3 準備金の積立				○						
	4 株主資本の計数変動				○						○
	5 自己株式		○	○	○	○	○	○	○		
	6 新株予約権							○			
	7 新株予約権付社債										
	8 株主資本等変動計算書			○					○		
	9 ストックオプション									○	
XIII 税金	1 法人税、住民税及び事業税	○	○	○	○	○	○	○	○	○	○
	2 法人税等の還付・追徴	○					○		○		
	3 消費税	○									
XIV 税効果会計	1 税効果会計	○	○	○	○	○	○	○	○		○
XV 外貨建取引	1 外貨建資産・負債の換算		○	○			○	○		○	○
	2 為替予約	○			○			○		○	

内　容		回　数	第64回	第65回	第66回	第67回	第68回	第69回	第70回	第71回	第72回	第73回
	3	外貨建有価証券の換算	○									
XVI　売上・仕入に関する処理	1	売上に関する処理					○	○	○			
	2	仕入に関する処理		○	○	○	○					○
XVII　特殊論点	1	金利スワップ						○				
	2	株式交換										
	3	未着品の処理										
	4	抱合せ株式			○							
	5	割賦販売										
	6	ポイント引当金										
	7	委託販売	○									
	8	税務上の繰延資産	○									
	9	商品券引換引当金	○									
	10	ゴルフ会員権	○						○	○		
	11	事業譲受							○			

ロ　個別問題での出題内容

内　容		回　数	第64回	第65回	第66回	第67回	第68回	第69回	第70回	第71回	第72回	第73回
I　注記事項	1	重要な会計方針	○	○			○			○		○
	2	会計方針の変更に関する注記		○								○
	3	貸借対照表等に関する注記		○			○				○	○
	4	損益計算書に関する注記		○							○	
	5	株主資本等変動計算書に関する注記					○					○
	6	税効果会計に関する注記	○			○						
	7	一株当たり情報に関する注記										
II　製造業会計	1	製造原価報告書							○			
III　分配可能額計算	1	分配可能額計算										
IV　財務諸表等規則における固有の表示	1	金銭債権・債務										
	2	有価証券										
	3	キャッシュ・フロー計算書						○				
V　会計基準等の空所補充	1	税効果会計に係る会計基準										
	2	金融商品に関する会計基準										
	3	退職給付に関する会計基準										
	4	自己株式及び準備金の額の減少等に関する会計基準										

内　　容	回　数	第64回	第65回	第66回	第67回	第68回	第69回	第70回	第71回	第72回	第73回
	5　連結キャッシュ・フロー計算書等の作成基準										
	6　固定資産の減損に係る会計基準										
	7　連続意見書										
Ⅵ　連結財務諸表	1　連結財務諸表の作成										

②　過去の出題内容の傾向と分析

イ　出題形式の特徴

　財務諸表論の計算問題は、貸借対照表、損益計算書を作成させる作表問題を中心とした総合問題が出題されるが、試験においては総合問題に関連させて売上原価の内訳の表示、販売費及び一般管理費の内訳の表示を行わせる場合もある。また、製造業を前提とした問題の場合には、前述の計算書類に加えて、製造原価報告書（製造原価明細書）の作成も要求される場合がある。

　個別問題においては、様々な形式の内容が出題されているが、その中でも数多く出題されているものとして、「注記事項」があげられる。このような個別問題は、出題されれば得点源となるところであるため、総合問題対策ばかりではなく、個別問題の対策も十分に行うことが大切である。

ロ　出題範囲の特徴

　総合問題の出題形式としては、製造業を前提とする総合問題と商業を前提とする総合問題が出題されていることが分かる。よって、どちらで出題されても合格点がとれるよう、きちんと確認、マスターしておくことが不可欠である。

　なお、総合問題で毎年必ず出題されている項目（現金・預金、金銭債権、有価証券、棚卸資産、有形固定資産、金銭債務、引当金、純資産会計、税金、税効果会計など）については、学習範囲の全範囲を網羅し、確実にマスターするようにしてほしい。

　また、新たな会計基準の制定等により追加された項目の中でも、特に減損処理、ソフトウェア、自己株式などは、会計基準施行後、ほぼ毎回出題されている。これら新会計基準の中でも頻出のものについては、十分な対策を図るようにしてほしい。

　個別問題においては、まず注記事項に関する対策をしっかりと行い、出題された場合は、確実に得点できるようにすることが大事である。

問題編

TAX ACCOUNTANT

問 題 1

以下の**問１**及び**問２**に答えなさい。

問１ Ｏ株式会社（資本金５億円、事業年度は×５年４月１日から×６年３月31日まで）の下記に
示す資料により、会社計算規則に準拠して、(1)損益計算書（売上原価の内訳、販売費及び一般
管理費の明細を示すこと）を作成し、さらに(2)貸借対照表等に関する注記を答案用紙の所定の
箇所に記載しなさい。

　　なお、税効果会計に関する事項及び事業税に係る外形標準課税については考慮不要とし、問
題文に特段の指示がない場合、過去の誤謬の訂正に該当するものはないものとする。

〔**資料Ⅰ**〕残高試算表の一部

残高試算表の一部

（単位：千円）

借　　　　　方	金　　額	貸　　　　　方	金　　額
⋮		⋮	
受　取　手　形	250,000	貸　倒　引　当　金	1,270
売　　掛　　金	157,000	減 価 償 却 累 計 額	173,540
投 資 有 価 証 券	9,450	退 職 給 付 引 当 金	19,240
商　　　　　品	37,400	繰 越 利 益 剰 余 金	10,000
仮　　払　　金	29,890	売　　　　　　上	786,000
商　　標　　権	10,000	受　取　利　息	730
開　　発　　費	2,000	有 価 証 券 利 息	120
仕　　　　　入	425,800	受 取 配 当 金	440
給　料　手　当	62,350	固 定 資 産 売 却 益	150,000
旅　費　交　通　費	7,100		
福　利　厚　生　費	12,670		
租　税　公　課	7,130		
支　払　利　息	7,400		
有 価 証 券 売 却 損	200		
固 定 資 産 災 害 損 失	105,850		
⋮		⋮	

〔資料Ⅱ〕決算修正その他の事項

1．商品の期末帳簿棚卸高は30,900千円であり、実地棚卸高は30,500千円である。差額は期中に得意先に見本品として試供した際に処理を失念したことによるものであることが判明した。また、実地棚卸高のうち、3,000千円について期末の正味売却価額が1,200千円まで下落している。なお、当社は商品につき先入先出法による原価法（収益性が低下した場合には、帳簿価額の切下げを行う）により評価している。

2．残高試算表上の受取利息及び受取配当金は、それぞれ220千円及び110千円の源泉税引後の金額で計上されている。また、有価証券利息120千円（30千円の源泉税引後）は保有社債に係る受取利息である。

3．仮払金の内訳は、法人税の中間納付額17,620千円、法人住民税の中間納付額8,220千円、法人事業税の中間納付額3,450千円、出張旅費の概算払額600千円（うち450千円は期末までに精算済であり、過不足は生じていない）である。

4．有形固定資産に関する事項は次のとおりである。

（1）期中に建物の一部が火災により焼失した。焼失建物の取得原価は150,000千円、期首減価償却累計額は44,150千円であり、差額は固定資産災害損失として処理している。なお、焼失建物に係る期首から被災直前までの減価償却費は3,350千円であり、また、期末までに当該建物に係る火災保険金48,000千円の支払いが確定（期末現在入金はされていない）している。

（2）期末時点で所有する有形固定資産の当期分の減価償却費は9,300千円（定額法適用）である。なお、減価償却累計額の貸借対照表表示は、直接控除一括注記法によることとする。

5．商標権は当期首に取得したものであり、10年間で定額法により償却する。

6．開発費は新市場の開拓のために前期首に特別に支出したものであり、会社法に基づく最長期間で定額法により償却している。

7．受取手形のうち50,000千円及び売掛金のうち22,000千円は当期から取引を開始した得意先ＣＤ社に対するものであるが、同社は期中に会社更生法の規定による更生手続の開始決定を受けており、これらの債権の回収可能性は不明であるため、財務内容評価法により債権残高の全額を貸倒引当金として計上する。

なお、当該引当金繰入額は、特別損失に計上する。

8．貸倒引当金を債権の貸倒れによる損失に備えるため、受取手形及び売掛金（上記7に該当するものを除く）の期末残高に対して1％を計上する。なお、損益計算書上は、当該繰入額と戻入額を相殺して表示すること。

9．退職給付引当金を貸借対照表上26,749千円計上する。

10．期中の銀行借入（長期）に際して、当社所有の土地の一部（簿価30,000千円）を担保に供している。

11．確定申告により納付すべき税額（源泉徴収税額及び中間納付額控除後の金額）は、法人税23,220千円、法人住民税15,540千円、法人事業税6,350千円であり、未払計上する。

問2　B株式会社の当期（自×5年6月1日～至×6年5月31日）の次に示す資料により会社計算規則に準拠した貸借対照表を作成しなさい。また、解答にあたっては重要性の原則は考慮しないものとする。

　　なお、税効果会計及び事業税に係る外形標準課税については考慮する必要はないものとし、問題文に特段の指示がない場合、過去の誤謬の訂正に該当するものはないものとする。

〔資料Ⅰ〕残高試算表

残 高 試 算 表

（単位：千円）

借　　　　　方	金　　額	貸　　　　　方	金　　額
現　　　　　　　金	20,000	支　払　手　形	50,000
定　期　積　金	30,000	買　　掛　　金	100,000
定　期　預　金	40,000	貸　倒　引　当　金	8,000
受　取　手　形	250,000	仮　　受　　金	21,900
売　　掛　　金	100,000	借　　入　　金	80,000
有　価　証　券	129,000	社　　　　　債	105,000
商　　　　　　品	50,000	退　職　給　付　引　当　金	100,000
貸　　付　　金	227,500	資　　本　　金	150,000
仮　　払　　金	255,340	資　本　準　備　金	20,000
建　　　　　　物	160,000	利　益　準　備　金	10,000
備　　　　　　品	27,500	新　築　積　立　金	10,000
土　　　　　　地	316,400	減　債　積　立　金	10,000
権　　利　　金	5,000	役員退職慰労積立金	5,000
社　債　発　行　費	15,000	別　途　積　立　金	20,000
総　　費　　用	1,774,260	繰　越　利　益　剰　余　金	10,000
		総　　収　　益	2,700,100
合　　　　　計	3,400,000	合　　　　　計	3,400,000

〔資料Ⅱ〕参考事項

1．現金について期末に実査したところ15,000千円であった。不足の原因について調査したところ、下記の処理が行われていなかったことが判明した。

① 4,500千円については、当期首から3年分の保険料を支払っている。

② 500千円については、買掛金の支払いに充てている。

2．定期積金は毎月1,000千円、3年間積立ての予定である。

3．定期預金は2年満期のものであり、×7年8月31日に期日が到来する。

4．受取手形のうち5,000千円はQ社振出しのものであるが、Q社は当期において2回目の不渡りを出し、銀行取引停止処分となった。

この債権に対しては、担保として上場有価証券（期末時価2,500千円）を受け入れている。

なお、この債権の回収には、1年以上を要することは確実であり、財務内容評価法により債権金額から担保処分見込額を控除した残額の貸倒引当金を設定する。

また、期中において額面金額15,000千円の受取手形の割引きを行い、入金額14,700千円との差額を手形売却損（総費用に含まれている）として処理している。なお、当該割引きに伴う保証債務の時価相当額は120千円と算定されたが、保証債務の計上に係る処理は行われていない。

5．商品の手許有高は簿価60,000千円であるが、そのうち5,000千円については、正味売却価額が2,000千円まで下落している。なお、商品の評価については、先入先出法による原価法（収益性が低下した場合には、帳簿価額の切下げを行う）を採用している。

6．有価証券の内訳は下記のとおりである。

① K株式会社株式　　　　　　　　49,000千円

なお、当社はK株式会社株式を長期保有目的で保有している。

② O株式会社株式　　　　　　　　70,000千円

なお、当社はO株式会社の議決権の過半数を所有している。

③ T株式会社株式　　　　　　　　10,000千円

なお、当社はT株式会社株式を売買目的で保有している。

7．貸付金のうち2,500千円は、従業員の住宅資金として貸し付けたもので、年2回の賞与支給時に500千円ずつ返済されている。その他のものはすべて長期性のものである。

8．仮払金の内訳は下記のとおりである。

① 従業員の出張旅費交通費の仮払額　　　340千円（これについては×6年5月30日に出張報告書が提出され、旅費不足額60千円は×6年6月1日に支払われている。）

② 法人税及び住民税の中間納付額　　200,000千円

③ 事業税の中間納付額　　　　　　　50,000千円

④ 得意先に対する送料の立替金　　　　5,000千円

9．減価償却費として建物分9,000千円、備品分11,250千円を計上する。

　　なお、有形固定資産の貸借対照表の表示は、減価償却累計額を控除した残額のみを記載する方法による。

10. 権利金は、当期首に5年間の契約で建物を賃借した際に、その建物の所有者に支払ったものである。なお、契約満了時に権利金の50%が返還されることになっているため、これについては「差入保証金」として資産計上する。残額については、無形固定資産に計上したうえで契約期間にわたり定額法で償却することとする。

11. 社債発行費については、5年間で定額法により償却する（下記12参照）。

12. 社債のうち5,000千円は償還期間5年のものであり、1年以内に償還期限が到来するものである。残額については、×5年12月1日に発行（償還期間5年）したものであり、社債発行費は、当該社債の発行に係るものである。

　　なお、当社は繰延資産として計上できるものについては、資産計上したうえで、会社法に基づく最長期間で定額法により償却することとしている。

13. 借入金のうち50,000千円はK株式会社から当期中に借り入れたものであり、残額は借入当初は長期借入金であったものである。なお、いずれも翌期中に返済期限が到来するものである。

14. 仮受金は、×6年6月15日を払込期日（申込期日：×6年5月25日）とする新株発行に係る払込金であるが、株式発行のために必要な費用の額2,100千円が控除されている。

15. 引当金について

　①　貸倒引当金を受取手形（上記4のQ社振出手形を除く）及び売掛金の期末残高に対して2%を設定する。

　②　退職給付引当金を1,000千円繰り入れる。

　③　賞与引当金を40,000千円繰り入れる。

　④　翌期の修繕に備えるため、修繕引当金を5,000千円繰り入れる。

16. 当期の負担に属する法人税及び住民税の額は400,000千円であり、同事業税の額は100,000千円である。

⇨解答：80ページ

問 題 2

　商品販売業を営むタカサキ商事株式会社（以下、「当社」という。）の第18期（自×21年4月1日至×22年3月31日）に係る残高試算表〔資料Ⅰ〕と決算整理の未済事項及び参考資料〔資料Ⅱ〕は下記のとおりである。

　これらの資料と次の**解答留意事項**に基づいて、「会社法」及び「会社計算規則」に準拠した貸借対照表及び損益計算書（ともに一部記載済み）を完成させなさい。また、個別注記表に記載すべき注記のうち貸借対照表等に関する注記を所定の箇所に記載しなさい。

解答留意事項

1．当社は前期以前から税効果会計を採用しており、法定実効税率は前期、当期ともに40％である。

2．金融資産・負債については、「金融商品に関する会計基準」に基づき処理を行うこととする。

3．会計処理及び表示方法については、特に指示がない限り原則的な方法によることとし、金額の重要性は考慮しないこととする。

4．関係会社に対する金銭債権・債務の表示は独立科目表示法により行うこととする。

5．消費税等の会計処理は税抜方式によりすべて正しく行われており、決算整理において消費税等は考慮する必要はない。

6．金額の計算において千円未満の端数が生じた場合には切り捨てることとする。

7．日数の計算は、すべて月割計算で行うものとする。

8．問題文に特段の指示がない限り、過去の誤謬の訂正に該当するものはないものとする。

[資料Ⅰ] 残高試算表

残 高 試 算 表

(単位：千円)

勘 定 科 目	金 額	勘 定 科 目	金 額
現 金 預 金	159,920	支 払 手 形	121,000
受 取 手 形	630,000	買 掛 金	326,000
売 掛 金	539,450	借 入 金	75,900
有 価 証 券	364,200	貸 倒 引 当 金	9,000
商 品	225,000	未 払 金	40,000
仮 払 金	135,310	預 り 金	44,000
貸 付 金	120,000	未 払 消 費 税 等	22,700
繰 延 税 金 資 産	112,280	債 務 保 証	20,000
債 務 保 証 見 返	20,000	社 債	160,000
建 物	198,000	退 職 給 付 引 当 金	274,000
車 両	60,101	資 本 金	728,000
器 具 備 品	49,740	資 本 準 備 金	70,000
土 地	246,000	利 益 準 備 金	102,000
借 地 権	102,160	別 途 積 立 金	292,090
仕 入	3,740,000	繰 越 利 益 剰 余 金	137,356
給 料 手 当	1,269,400	売 上	6,262,000
支 払 運 送 料	321,600	仕 入 値 引	31,000
租 税 公 課	12,000	仕 入 割 引	4,000
退 職 給 付 費 用	36,000	受 取 利 息	2,790
その他の販売管理費	389,350	有 価 証 券 利 息	1,500
支 払 利 息	1,505	受 取 配 当 金	3,300
社 債 利 息	3,000	雑 収 入	1,380
		固 定 資 産 売 却 益	7,000
合 計	8,735,016	合 計	8,735,016

〔資料Ⅱ〕決算整理の未済事項及び参考資料

1．株主総会の決議事項に関する資料

×21年6月24日に実施された株主総会において以下の事項が決議された。

(1)　剰余金（繰越利益剰余金）の配当：23,760千円

(2)　準備金の積立：各自推定

(3)　繰越利益剰余金を財源とした別途積立金の積立：20,000千円

上記の決議については剰余金の配当に伴う支出額を仮払金として計上した以外に何ら処理は行われていない（〔資料Ⅱ〕9参照）。なお、剰余金の配当が効力を生じる日における資本金及び準備金の額は、残高試算表の資本金及び準備金の額と同額であった。また、上記の決議事項を実施する上で必要となる法的要件はすべて満たしている。

2．有価証券に関する事項

有価証券の内訳は以下のとおりである。

銘　　柄　等	保 有 目 的	帳簿価額及び時価	備　　考
神奈川工芸株式会社株式	そ の 他	41,600千円	──
愛知産業株式会社株式	売 買 目 的	23,500千円	──
三河物流株式会社株式	そ の 他	37,900千円	──
カネモト運送株式会社株式	支配力行使	120,000千円	（注1）
尾張商事株式会社株式	影響力行使	56,000千円	（注2）
名古屋商事株式会社株式	そ の 他	5,500千円	──
川崎物産株式会社社債	満 期 保 有	59,700千円	（注3）
カネモト運送株式会社社債	そ の 他	20,000千円	（注4）

（注1）　議決権の保有割合は55％である。

（注2）　議決権の保有割合は30％である。

（注3）　×19年10月1日に平価発行された社債（発行期間3年）を発行と同時に取得したものである。

（注4）　×21年4月1日に平価発行された社債（発行期間5年）を発行と同時に取得したものである。

3．棚卸資産に関する事項

期末手許商品棚卸高は274,000千円である。なお、残高試算表の商品の金額は前期末残高である。

4．有形固定資産に関する事項（残存価額は新規取得資産も含めて取得原価の10％であり、耐用年数6年の場合の定率法償却率は0.319である。）

	帳 簿 価 額	期首減価償却累計額	償却方法	耐用年数	備　　考
建　　物	198,000千円	162,000千円	定 額 法	40年	─
車　　両	60,101千円	42,899千円	定 率 法	6年	（注1）
器具備品	49,740千円	10,260千円	定 額 法	5年	─
土　　地	246,000千円	────────	────────	────────	（注2）

（注１）　×21年９月15日に車両を下取りに出し、新車両を取得し直ちに営業の用に供したが、支払代金23,000千円を車両として計上しているのみであるため、適正な処理に改める。

(1)　下取りに出した車両の取得原価　　　　　30,000千円

(2)　下取りに出した車両の期首減価償却累計額　16,087千円

(3)　下取価格　　　　　　　　　　　　　　　12,000千円

(4)　新車両の定価　　　　　　　　　　　　　35,000千円

（注２）　土地のうち90,000千円は当期において当社所有の土地（帳簿価額：90,000千円、適正評価額：120,000千円）と川崎物産株式会社所有の土地（帳簿価額：100,000千円、適正評価額：123,000千円）とを交換して取得したものである。この交換により、支払った交換差金3,000千円はその他の販売管理費（〔**資料Ⅱ**〕13(1)参照）として処理している。

5．賞与引当金に関する事項

　　23,000千円を繰り入れる。

6．現金預金に関する事項

(1)　当社の決算日における当座預金残高は57,000千円であるが、銀行の残高証明書は50,110千円であった。

　　両者の不一致の原因を調査したところ、以下の事実が明らかになった。

①　決算日に現金15,000千円を預け入れたが、銀行の閉店後であったため翌日の入金として処理されていた。

②　オカダ運送株式会社への運送料支払いのため振り出した小切手4,610千円が未渡しであった。

③　買掛金支払いのために振り出した小切手3,500千円が未取付であった。

(2)　現金預金のうち90,000千円は満期日が×24年１月31日のものである。

7．受取手形、売掛金及び売上に関する事項

　　受取手形のうち21,000千円は破産手続き開始の申立てを行った埼玉株式会社に対するものである。なお、同社の親会社は、当該金銭債権の連帯保証人として当社に対して10,500千円の代理弁済義務を負っている。また、当該手形の回収には長期間を要する見込みである。

　　また、前期計上の売掛金11,000千円が回収不能となったが、これに係る処理を失念している。なお、貸倒引当金の全額を充当することとし、不足分は当期中の状況変化によるものとして処理する。

8．貸付金に関する事項

貸付金の内訳は以下のとおりである。

貸　付　先	帳簿価額	貸　付　日	返　済　日
カネモト運送株式会社	55,000千円	×21年10月20日	×24年10月19日
川崎物産株式会社	25,000千円	×20年12月6日	×22年12月5日
Ａ　　取　締　役	40,000千円	×22年3月27日	×23年3月26日

なお、利息については適正に処理されている。また、Ａ取締役は当社の役員である。

9．仮払金に関する事項

仮払金の内訳は以下のとおりである。

(1)　剰余金の配当（〔**資料Ⅱ**〕1参照）　　　　　　　　　　　　　　　23,760千円

(2)　法人税及び住民税の予定納付額　　　　　　　　　　　　　　　　　80,000千円

(3)　事業税の予定納付額　　　　　　　　　　　　　　　　　　　　　　31,550千円

事業税の予定納付額のうち、4,550千円は外形基準によって計算された分である。

10．借入金に関する事項

借入金の内訳は以下のとおりである。

借　入　先	帳簿価額	借　入　日	返　済　日	備　　　　　　考
甲　銀　行	42,900千円	×22年1月1日	×24年12月31日	毎月末均等分割返済
乙　銀　行	12,000千円	×21年12月15日	×22年12月14日	一　括　返　済
丙　銀　行	21,000千円	×22年3月8日	×26年3月7日	一　括　返　済

甲銀行借入金に係る利息は利率月1.0%で1年分を毎年12月末日に後払いの約定であるが、当期分の利息の見越計上の処理を失念している。なお、その他の借入金の利息については適正に処理されている。

11．預り金に関する事項

預り金のうち38,000千円は従業員社内預金（長期性のもの）である。

12．貸倒引当金に関する事項

受取手形（〔**資料Ⅱ**〕7の手形を除く。）、売掛金及び貸付金については、過去3年間の貸倒実績率2%を乗じて計上し、〔**資料Ⅱ**〕7の手形は財務内容評価法により債権金額から保証による回収見込額を控除した残額の全額を計上する。

13．その他の販売管理費に関する事項

その他の販売管理費には以下のものが含まれている。

(1)　土地交換差金（〔**資料Ⅱ**〕4（注2）参照）　　　　　　　　　　　3,000千円

(2)　内藤商事株式会社所有の商標権を賃借した際に支払った4年分の使用料　12,000千円

（×21年10月1日から4年分）

14. 法人税、住民税及び事業税に関する事項

　　当期の負担に属する税額は法人税及び住民税が160,500千円、事業税が62,550千円（うち、外形基準によって計算された分は9,050千円である。）である。

15. 税効果会計に関する事項

　　(1) 前期末及び当期末の一時差異は次のとおりである。

区　　　　　　　　　　　分	前　期　末	当　期　末
将　来　減　算　一　時　差　異	280,700千円	334,200千円

　　(2) 繰延税金資産の回収可能性に問題はないものとする。

　　(3) 残高試算表に記載されている繰延税金資産の額は前期末残高に係るものである。

　　(4) 繰延税金資産及び繰延税金負債は相殺の上、固定項目に表示する。

16. 債務保証に関する事項

　　尾張商事株式会社の金融機関からの借入金に対し、20,000千円の債務保証を行っている。

⇨解答：94ページ

問　題　３

　物品販売業を営む甲株式会社（発行済株式総数　300千株）の第25期事業年度（自X29年４月１日　至X30年３月31日）の修正前残高試算表及び参考資料はそれぞれ下記〔**資料１**〕及び〔**資料２**〕のとおりである。これに基づき、「会社法」及び「会社計算規則」に準拠した貸借対照表及び損益計算書（ともに一部記載済）を作成しなさい。なお、解答にあたっては、特に指示がない限り原則的な方法により処理し、金額の重要性は考慮しないものとする。また、日数の計算は、すべて月割計算で行うものとする。

〔**資料１**〕　修正前残高試算表

修正前残高試算表
X30年３月31日現在　　　　　　　　　　　　　　　（単位：千円）

勘　定　科　目	金　　額	勘　定　科　目	金　　額
現　金　預　金	177,500	支　払　手　形	127,700
受　取　手　形	186,000	買　　掛　　金	145,950
売　　掛　　金	134,000	借　　入　　金	173,000
有　価　証　券	85,800	未　　払　　金	8,050
商　　　　　品	110,000	預　　り　　金	26,000
貯　　蔵　　品	200	貸　倒　引　当　金	1,545
貸　　付　　金	64,000	建物減価償却累計額	49,500
仮　　払　　金	79,000	備品減価償却累計額	18,000
繰　延　税　金　資　産	91,065	退　職　給　付　引　当　金	221,000
建　　　　　物	300,000	資　　本　　金	270,000
備　　　　　品	57,000	資　本　準　備　金	31,500
土　　　　　地	262,055	利　益　準　備　金	27,500
商　　標　　権	5,250	役　員　退　職　慰　労　積　立　金	150,000
借　　地　　権	5,450	別　途　積　立　金	74,775
開　　発　　費	82,000	繰　越　利　益　剰　余　金	27,680
仕　　入　　高	1,261,000	売　　上　　高	1,774,570
給　料　手　当	150,000	受　取　利　息　配　当　金	30,000
租　税　公　課	15,200	投　資　不　動　産　賃　貸　料	12,000
退　職　給　付　費　用	25,500	雑　　収　　入	13,140
その他販売管理費	59,890	固　定　資　産　売　却　益	20,000
支　払　利　息	23,000		
役　員　退　職　慰　労　金	28,000		
合　　　　　計	3,201,910	合　　　　　計	3,201,910

〔資料2〕 参考資料

1．現金預金に関する資料は、次のとおりである。

(1) 現金預金のうちには、次のものが含まれている。

① 当座預金　14,000千円（L銀行当座借越2,000千円と相殺後の金額である。）

② L銀行定期預金　80,000千円（X33年8月31日を満期日とする。）

③ I銀行積立預金　15,000千円（毎月1,000千円、全48回積立てのものである。）

(2) 期末における金庫の実査により、次のものが発見された。

① 未渡小切手　7,000千円（X29年12月1日に購入し、同日より事業の用に供した備品7,000千円（下記〔資料2〕8参照）のために、H銀行当座預金口座から振出したものである。）

② 収入印紙　250千円（期中に購入し、購入時に租税公課で処理済である。なお、修正前残高試算表の貯蔵品は、収入印紙の前期末残高200千円である。）

2．受取手形のうちには、得意先J社から受取り、期日に決済されず不渡りとなった手形18,000千円及び経営破綻に陥ったK社に対するもの12,000千円（ともに当期中に発生したものであり、翌期中の回収は見込めないものである。）が含まれている。

3．売掛金のうちには、K社に対するもの25,000千円（当期中に発生したものであり、翌期中の回収は見込めないものである。）及び期中にA社に売却した土地（帳簿価額17,000千円）の売却代金未収額20,000千円（翌期中に決済されるものである。）が含まれている。なお、当社は当該売却の際に以下の仕訳を行っている。

（借方）売掛金　20,000千円	（貸方）固定資産売却益　20,000千円

4．有価証券の内訳は次のとおりであり、有価証券は「金融商品に関する会計基準」に基づき処理を行っている。なお、保有社債の償還期限はいずれも1年を超えて到来する。

銘　柄	帳簿価額	期末時価	備　考
A社株式	14,250千円	16,250千円	（注1）
B社株式	16,900千円	17,100千円	（注2）
乙社株式	34,100千円	17,000千円	（注3）
O社社債	7,800千円	8,000千円	（注4）
P社社債	12,750千円	11,950千円	（注1）

（注1）売買目的有価証券、満期保有目的の債券、子会社株式及び関連会社株式以外の有価証券（「その他有価証券」）である。「その他有価証券」に係る評価差額は税効果会計を適用の上、全部純資産直入法により処理している。

（注2）売買目的有価証券である。

（注３）「その他有価証券」である。なお、当該株式の時価は著しく下落しており、原価まで回
　　　　復する見込みはないため減損処理を行う。

（注４）満期保有目的の債券である。

5．期末商品棚卸高に関する資料は次のとおりである。

	帳簿棚卸高		実地棚卸高	
	数　　量	原　　価	数　　量	正味売却価額
X　商　品	13,000個	6,000円／個	12,800個	5,500円／個
Y　商　品	16,000個	4,000円／個	15,000個	3,750円／個

（注１）X商品及びY商品の実地棚卸数量の不足は減耗によるものである。

（注２）Y商品の実地棚卸数量のうち1,500個は、流行遅れによる陳腐化が生じており、その正
　　　　味売却価額は1,700円／個である。

（注３）商品は、先入先出法による原価法（収益性の低下による簿価切下げの方法）により評
　　　　価する。なお、収益性の低下の有無及び帳簿価額の切下げは、個別品目ごとに行うもの
　　　　とする。

（注４）減耗損は、売上原価の内訳項目として表示する。また、陳腐化を原因とした評価損は、
　　　　臨時的事象かつ多額なものと認められるため、特別損益項目として表示する。

6．仮払金の内訳は次のとおりである。

　(1)　法人税及び住民税の中間納付額　　　　　　　　56,000千円

　(2)　事業税の中間納付額　　　　　　　　　　　　　8,000千円

　　　（うち2,000千円は外形基準分である。）

　(3)　営業所用建物の建設代金の前払額　　　　　　15,000千円

　　　（当該営業所用建物は翌期に完成予定である（下記〔資料２〕９参照）。）

7．貸付金はすべてX31年３月31日に返済予定のものである。

8．減価償却に関する資料は次のとおりである。なお、減価償却累計額は、取得原価から直接控除
　することとする。

　　　　建物　残存価額：取得原価の10％、耐用年数：40年、定額法（注１）

　　　　備品　残存価額：取得原価の10％、耐用年数：５年、定額法（注２）

　　（注１）建物のうち100,000千円は、X29年６月１日に取得したものであり、同日より使用して
　　　　　　いる。なお、この建物の取得代金のうち半分は現金払いし（処理済み）、残りの半分は
　　　　　　X29年６月30日を初回とし、１カ月ごとに期日の到来する約束手形25枚を振出し支払手形
　　　　　　として処理している。

また、当該建物のうち40％部分は、取得と同時に他の数社に投資目的で賃貸している。

（注２）上記〔資料２〕１(2)①参照

9．土地のうちには、営業所用建物（上記〔資料２〕６(3)参照）の建設用地として、土地を賃借した際に支払った権利金34,000千円が含まれており、借地権として無形固定資産に計上する。

10．商標権はX28年１月１日に取得したものであり、10年で償却している。

11．開発費は当期首に支出したものであるが、このうち2,000千円は毎期経常的に支出するものであり、残額は新市場開拓のために特別に支出したものである。なお、繰延資産として計上できるものは資産計上し、会社法に基づく最長期間で定額法により償却することとする。

12．仕入先に対する買掛金残高のうち、米国の仕入先Ｚ社に対する買掛金が借方残高で300千円となっていた。原因を調査したところ、同社との掛代金の決済時に、決済日の為替レートで換算した金額を買掛金勘定から減額していたことが判明した。

13．借入金の内訳は次のとおりである。

借入先	金　額	借入日	返済日	返済方法
Ｃ物産株式会社	76,000千円	X28年11月１日	X31年10月31日	毎月末均等額返済
Ｄ通信株式会社	34,000千円	X29年２月１日	X31年１月31日	一　括　返　済
Ｅ　取　締　役	63,000千円	X29年８月１日	X30年７月31日	一　括　返　済
計	173,000千円			

14．引当金の計上基準は次のとおりである。

(1) 貸倒引当金は、「金融商品に関する会計基準」に基づき次のとおりに設定する。

① 一般債権に該当する受取手形、売掛金及び貸付金については、期末残高の２％相当額を計上する。

なお、繰入額と戻入額は相殺し、相殺後の残高については設定対象債権の割合に応じて販売費及び一般管理費並びに営業外費用に表示する。残高試算表上の貸倒引当金は、全額前期末において一般債権に対して設定したものの残高である。

② 貸倒懸念債権（Ｊ社に対する債権）については、期末残高の50％相当額を計上する。

③ 破産更生債権等（Ｋ社に対する債権）については、期末残高から保証による回収見込額10,000千円を控除した残額の全額を計上し、当該債権に係る繰入額は特別損失に表示する。

なお、貸倒引当金の表示の方法については、一括掲記の方法によることとする。

(2) 修繕引当金を2,000千円計上する。

(3) 退職給付引当金は、「退職給付に関する会計基準」に基づき、次の資料をもとに設定する。

① 期首実際退職給付債務　　　　　　450,000千円

② 期首年金資産公正評価額　　　　　220,000千円

③ 期首未認識数理計算上の差異（損失）　9,000千円

　（全額前期に生じたものである。）

④ 勤務費用　　　　　　　　　　　　23,000千円

⑤ 割引率　　　　　　　　　　　　　　1.5%

⑥ 長期期待運用収益率　　　　　　　　1.3%

　なお、数理計算上の差異は、発生年度の翌年度から、平均残存勤務期間15年で定額法により費用処理し、退職給付費用は全額販売費及び一般管理費に表示する。

　期中に支払った退職一時金12,500千円及び年金掛金13,000千円は支払時に退職給付費用として処理している。

15．受取利息配当金は、源泉徴収税額7,000千円控除後の金額を計上している。

16．当期の負担に属する法人税及び住民税（中間納付額及び源泉徴収税額控除前の金額）は96,000千円、事業税（中間納付額控除前の金額）は14,000千円（うち3,500千円は外形基準分である。）である。

17．当期中に退職した役員に対して退職金を支払ったが、これにつき、役員退職慰労金として処理している。当該退職金の支払に備えて積立てた役員退職慰労積立金28,000千円につき、全額取崩すこととする。

18．税効果会計に関する資料は次のとおりである。

(1) 「その他有価証券」の評価差額を除く前期末及び当期末の一時差異及び永久差異

（単位：千円）

区　　　　　　　　　分	前　期　末	当　期　末
将　来　減　算　一　時　差　異	233,500	250,500
永　　　久　　　差　　　異	6,000	7,200

(2) 法定実効税率は前期末及び当期末のいずれも39%として計算する。

(3) 繰延税金資産の回収可能性に問題はないものとする。

(4) 繰延税金資産及び繰延税金負債は相殺の上、固定項目に表示する。

⇨解答：104ページ

問 題 4

制限時間	80分
難 易 度	A

〔**資料１**〕及び〔**資料２**〕に基づき、次の１から３の各問に答えなさい。

１　斎藤株式会社（以下「当社」という。）の第38期（自Ｘ30年８月１日　至Ｘ31年７月31日）における貸借対照表及び損益計算書を会社計算規則に準拠して作成しなさい。

２　会社計算規則に準拠した場合に必要となる貸借対照表等に関する注記を答案用紙の所定の箇所に記載しなさい。

３　「製造原価報告書」を作成しなさい。

解答留意事項

(1)　消費税及び地方消費税（以下「消費税等」という。）の会計処理は税抜方式により行っている。
　　なお、消費税等の処理については〔**資料２**〕14以外は考慮する必要はない。

(2)　税効果会計は、特に記述のない項目には適用しない。また、繰延税金資産の回収可能性に問題はないものとする。

(3)　関係会社に対する金銭債権債務の表示については、科目別注記法によることとする。

(4)　日数の計算は、便宜上、すべて月割計算で行うものとする。

(5)　上記以外の会計処理及び表示方法については、特に指示がない限り原則的な方法によることとし、金額の重要性は考慮しないこととする。

(6)　事業税の外形標準課税については考慮外とする。

(7)　計算の過程で生じた千円未満の端数は、百円の位で四捨五入するものとする。

決算整理前残高試算表 （単位：千円）

勘 定 科 目	金 額	勘 定 科 目	金 額
現 金 及 び 預 金	210,000	支 払 手 形	179,500
受 取 手 形	450,500	買 掛 金	312,000
売 掛 金	829,000	借 入 金	130,500
有 価 証 券	107,800	預 り 金	24,300
製 品	83,000	仮 受 金	15,000
材 料	35,000	仮 受 消 費 税 等	175,500
仕 掛 品	62,000	貸 倒 引 当 金	5,094
貸 付 金	114,500	社 債	257,500
未 収 金	45,000	退 職 給 付 引 当 金	250,000
仮 払 金	104,700	役 員 退 職 慰 労 引 当 金	120,000
仮 払 消 費 税 等	152,000	減 価 償 却 累 計 額	488,404
建 物	800,000	資 本 金	700,000
機 械 装 置	640,000	資 本 準 備 金	130,000
車 両 運 搬 具	120,000	利 益 準 備 金	43,000
器 具 備 品	80,000	別 途 積 立 金	652,772
土 地	106,700	繰 越 利 益 剰 余 金	39,000
商 標 権	15,000	売 上	3,614,000
借 地 権	23,700	仕 入 割 引	13,500
繰 延 税 金 資 産	168,200	受 取 利 息	1,800
社 債 発 行 費	3,000	有 価 証 券 利 息	2,200
材 料 仕 入	976,000	受 取 配 当 金	1,500
そ の 他 労 務 費	510,000	雑 収 入	8,250
そ の 他 経 費	377,600	固 定 資 産 売 却 益	12,000
給 料 手 当	625,000		
そ の 他 販 売 費 ・ 管 理 費	513,400		
支 払 利 息	13,520		
社 債 利 息	1,200		
雑 損 失	9,000		
合 計	7,175,820	合 計	7,175,820

〔資料２〕年次決算に必要な事項

1　現金及び預金

(1)　現金出納帳の残高は1,695千円である。

　　現金の実際有高は1,300千円であり、調査の結果、現金出納帳との差異のうち300千円は期末における仕入先に対する買掛金の決済につき、未処理であることにより生じており、残額については、期末現在その原因が不明である。なお、当該不明分は雑損失として処理する。

(2)　菊水銀行当座預金が20,800千円ある。

　　菊水銀行から発行された銀行残高証明書による当該当座預金残高は25,000千円であった。調査の結果、当社帳簿残高との差異の原因は、次によることが判明したが必要な調整を行っていない。

　①　仕入先に対する買掛金の決済に際して振り出した当座小切手について生じた差異

　イ．ロットバイン株式会社に対して振り出した当座小切手1,200千円が未渡しである。

　ロ．バイスバイン株式会社に対して振り出した当座小切手2,700千円が未取付けである。

　②　北雪銀行の当座預金口座（当座借越契約を締結しており、下記(3)の定期預金を当該契約の担保に供している。）が、当座借越300千円となっており、菊水銀行当座預金残高と相殺されている。

(3)　北雪銀行定期預金が1,200千円ある。当該定期預金の満期日はX33年9月1日である。

2　営業債権

(1)　浦和株式会社（当社の親会社）に対する当期の売上高は510,000千円あり、当該売上高に係る期末現在未決済の受取手形が10,000千円、売掛金が89,000千円ある。

(2)　新宿株式会社に対する受取手形が15,500千円ある。

　　当該受取手形は、前期に同社に対して未使用の土地を売却したことにより受け取ったものであり、決済日はX31年9月1日である。

(3)　仕入先に対する買掛金30,000千円の決済に充てるため、当該仕入先に裏書譲渡した手形（上記(1)、(2)の手形以外のものであり、当該手形の決済日はX31年10月30日である。）が30,000千円ある（未処理）。

　　なお、当該裏書譲渡に係る保証債務の計上は行わないものとする。

(4)　横浜株式会社に対する売掛金が25,000千円ある。

　　当期から取引を開始した横浜株式会社は、X30年9月1日に民事再生法の規定に基づく再生計画の開始申立てを行った。

　　なお、同社の再生計画による場合には、当該売掛金の回収に長期間を要するものと認められる。また、同社の親会社である府中株式会社から19,000千円の債務保証を取り付けている。

3 有価証券

有価証券の内訳は次のとおりである。

銘　柄　等	帳簿価額	時　価	備　考
当　社　株　式	8,000千円	7,950千円	下記(1)(2)参照
多　田　株　式　会　社　株　式	6,800千円	6,500千円	下記(1)参照
信　澤　株　式　会　社　社　債	58,500千円	58,150千円	下記(1)(3)参照
平　嶋　株　式　会　社　株　式	34,500千円	35,400千円	下記(1)参照

(1) 当社株式以外の有価証券はすべて「その他有価証券」に区分する。なお、有価証券の評価は、
「金融商品に関する会計基準」に準拠しており、「その他有価証券」は決算日の市場価格に
基づく時価法(評価差額は全部純資産直入法(税効果会計を適用する。))によっている。

(2) 企業再編に利用するために取得したものである。

(3) 信澤社社債(額面58,500千円)は、X31年2月1日に発行と同時に取得しており、X34年
1月31日を償還日とするものである。

4 棚卸資産

棚卸資産の期末棚卸の結果は次のとおりである。なお、下記の期末棚卸高の評価額に係る計
算は、問題の他の箇所に記載されている決算整理事項を含め、すべて終了しているものとする。
また、製品、材料及び仕掛品に正味売却価額の下落は生じていない。

種　類	期末帳簿棚卸高	期末実地棚卸高
製　品	103,750千円	99,750千円
材　料	43,750千円	40,750千円
仕掛品	77,500千円	77,500千円

(1) 製品の帳簿棚卸高と実地棚卸高との差額は原価性のある減耗であり、販売費及び一般管理
費に計上する。

(2) 材料の帳簿棚卸高と実地棚卸高との差額は原価性のある減耗であり、製造原価に算入する。

(3) 残高試算表の製品、材料及び仕掛品は前期末残高である。

5 仮払金

仮払金の内訳は次のとおりである。

(1) 法人税・住民税・事業税の中間納付額　　74,700千円

(2) 役員に対する退職慰労金　　30,000千円

なお、上記退職慰労金に対して役員退職慰労引当金が設定されているため、同額を取崩す
こととする。

6　貸付金

　　貸付金の内訳は次のとおりである。

（1）真鶴株式会社に対するものが50,000千円ある。

　　当該貸付金はX30年8月1日に貸し付けたもの（返済期日はX34年7月31日）であり、X31年7月31日に同社が支払うべき利息は当初の約定どおり入金が行われており、これについては適正に処理されている。

（2）当社の取締役桜川氏に対するものが4,000千円ある。

　　当該貸付金はX27年8月1日に貸し付けたものであり、毎年7月31日に2,000千円ずつ返済が行われる約定である。なお、X31年7月31日に桜川氏が行うべき返済は約定どおり入金が行われており、これについては適正に処理されている。

（3）調布株式会社に対するものが60,500千円ある。

　　当該貸付金は、X34年7月31日に一括して回収する約定となっている。

7　未収金のうちにはX32年8月以降に期限が到来するもの24,000千円が含まれている。

8　有形固定資産

種　類	取得原価	減価償却累計額	償却率	償却方法	配賦割合	
					製造部門	営業部門
建　　物	800,000千円	144,000千円	0.020	定額法	60%	40%
機 械 装 置	640,000千円	280,000千円	0.250	定率法	100%	―
車 両 運 搬 具	120,000千円	40,500千円	0.125	定額法	―	100%
器 具 備 品	80,000千円	23,904千円	0.166	定額法	50%	50%

（1）有形固定資産の内訳は上記のとおりであり、当期における減価償却費の計算は未了である。なお、当社は平成19年度税制改正後も引き続き改正前の減価償却方法を採用しており、残存価額は取得原価の10%とする。

（2）減価償却費の製造部門及び営業部門への配賦は、各有形固定資産の種類ごとの減価償却費の合計額に配賦割合を乗ずることにより行うこととする。

（3）車両運搬具のうち20,000千円（期首減価償却累計額2,250千円）は、X30年11月11日に売却したが、売却代金15,000千円を仮受金として処理しているのみである。

（4）有形固定資産の表示方法は、減価償却累計額を直接控除し、一括して注記する方法によることとする。

9 商標権

商標権はX31年1月19日に支払った商標の登録料などであり、法定存続期間の10年で償却することとする。なお、商標権償却は販売費及び一般管理費に含めて処理することとする。

10 繰延資産

社債発行費はX29年8月1日に発行した普通社債（償還期間6年）に係るものであり、会社法に基づく最長期間で定額法により償却している。

11 支払手形

支払手形のうちには資金の借入れに伴って当期において振り出したものが16,500千円ある（決済日：X32年1月19日）。

12 借入金

借入金の内訳は次のとおりである。

借　入　先	金　　額	備　　　　考
新谷取締役	5,000千円	X31年4月1日に借入れ、X32年5月31日に返済するものである。
大阪四菱銀行	125,500千円	X27年6月1日に借入れ、X31年8月31日に返済するものである。

13 引当金

(1) 貸倒引当金

次の債権の区分に応じ、以下のとおり設定する。

① 一般債権は受取手形（新宿株式会社に対するものを除く。）、売掛金（下記②の債権を除く。）及び貸付金に対して、貸倒実績率法により、過去の貸倒実績率に基づき2％を計上する。繰入れは、営業債権と営業外の取引に基づく債権それぞれに対して差額補充法による。

なお、前期末において、受取手形及び売掛金に対して4,653千円、貸付金に対して441千円の貸倒引当金が設定されている。

② 破産更生債権等（横浜株式会社に対する売掛金）については、同社の親会社である府中株式会社から受けた債務保証額を控除した残額に相当する金額を計上する。

(2) 賞与引当金

従業員の夏季賞与に係る当期負担額25,280千円を計上する。なお、製造部門及び営業部門への配賦割合はそれぞれ70％及び30％である。

(3) 退職給付引当金

当社は以前から「退職給付に関する会計基準」を採用しており、会計基準変更時差異は適用初年度に一括費用処理している。なお、当期における勤務費用は31,800千円、利息費用は7,000千円、期待運用収益は2,000千円、数理計算上の差異の費用処理額は700千円（損失）であるが、退職給付費用の計上に関する処理が行われていない。なお、製造部門及び営業部門への配賦割合はそれぞれ70％及び30％である。また、期中における退職金の支払い及び年金掛金の支払いに関する処理は適正に行われている。

(4) 役員退職慰労引当金

役員の退職慰労金の支給に備えるため、内規に基づく要支給額の100％相当額、125,000千円を計上することとする。なお、繰入額は販売費及び一般管理費に計上することとする。

14 当期の確定申告により納付すべき税額は、法人税及び住民税69,800千円、事業税10,500千円及び消費税等23,500千円である。

15 税効果会計

前期末及び当期末の「その他有価証券」に係るものを除く将来減算一時差異は、次のとおりである。

区　　　分	前　期　末	当　期　末
将 来 減 算 一 時 差 異	420,500千円	463,780千円

(1) 法定実効税率は、前期末及び当期末ともに40％として計算する。

(2) 当期において「その他有価証券」に係るものを除き、将来加算一時差異は生じていない。

(3) 繰延税金資産の回収可能性に問題はないものと認められる。

(4) 決算整理前残高試算表の繰延税金資産は前期末残高である。

16 その他

給料手当は営業部門に係るものであるため、販売費及び一般管理費に含めることとする。

⇨解答：116ページ

　幡代商事株式会社（自×27年4月1日　至×28年3月31日）の残高試算表〔資料1〕及び決算参考事項〔資料2〕は以下に示すとおりである。

　これらの資料と次の**解答留意事項**に基づき、会社計算規則に準拠した株主総会提出用の貸借対照表及び損益計算書を作成しなさい。

　また、貸借対照表等に関する注記のうち「関係会社に対する注記事項」を答案用紙の所定の箇所に記載しなさい。

解答留意事項

(1)　消費税等の会計処理はすべて完了しているものとし、決算整理事項等の処理においても消費税等については考慮する必要はない。

(2)　会計処理及び表示方法については、特に指示のない限り原則的な方法によることとし、金額の重要性は考慮しないこととする。

(3)　日数の計算は、便宜上、月割計算を行うものとする。

(4)　当社は従来から税効果会計を採用しており、法定実効税率は前期・当期ともに40％である。なお、税効果会計については、便宜上、〔資料2〕4及び16以外は考慮しないこととする。

(5)　外貨建取引については「外貨建取引等会計処理基準」に基づき処理を行うこと。なお、決算時の直物為替相場は120円／ドルである。

(6)　計算上、千円未満の端数が生じた場合は切り捨てる。

(7)　関係会社に対する金銭債権及び金銭債務は一括して注記する方法により表示する。

(8)　貸倒引当金は流動資産及び投資その他の資産の区分の末尾にそれぞれ一括して控除科目として表示する。

(9)　減価償却累計額は直接控除した上で、一括して注記する方法により表示する。

〔資料1〕残高試算表

残 高 試 算 表

×28年3月31日　　　　　　　　　　　（単位：千円）

勘　定　科　目	金　　額	勘　定　科　目	金　　額
現 金 及 び 預 金	100,556	当 座 借 越	2,100
受 取 手 形	245,000	支 払 手 形	198,000
売 掛 金	331,500	買 掛 金	183,516
有 価 証 券	134,770	借 入 金	277,100
商 品	186,000	貸 倒 引 当 金	1,650
貸 付 金	104,880	修 繕 引 当 金	200
仮 払 金	209,400	役 員 賞 与 引 当 金	22,500
繰 延 税 金 資 産	52,600	未 払 金	100,000
債 務 保 証 見 返	15,000	未 払 法 人 税 等	63,000
建 物	322,300	未 払 消 費 税 等	54,142
車 両 運 搬 具	96,702	債 務 保 証	15,000
器 具 備 品	49,084	社 債	198,000
土 地	558,790	退 職 給 付 引 当 金	90,000
建 設 仮 勘 定	235,894	資 本 金	900,800
の れ ん	8,000	資 本 準 備 金	76,000
商 標 権	6,750	利 益 準 備 金	143,450
開 発 費	281,750	別 途 積 立 金	119,100
社 債 発 行 費	2,500	繰 越 利 益 剰 余 金	151,210
仕 入	1,560,000	売 上	2,665,600
給 料 手 当	320,000	受 取 利 息	8,800
租 税 公 課	22,000	有 価 証 券 利 息	3,000
その他の販売管理費	514,358	受 取 配 当 金	10,840
支 払 利 息	14,100	雑 収 入	5,940
社 債 利 息	5,400	固 定 資 産 売 却 益	95,600
為 替 差 損	200		
雑 損 失	8,014		
合 計	5,385,548	合 計	5,385,548

〔資料２〕決算参考事項

1. ×27年６月28日に開催された定時株主総会で以下のとおりに剰余金の処分が行われたが、配当金の支払額につき仮払処理（〔資料２〕8参照。）をした以外は一切未処理である。

  (1) 株主配当金の支払   40,000千円

    当該配当金は、繰越利益剰余金を財源として支払われたものである。

  (2) 剰余金の配当に伴う準備金の積立   各自算定 千円

    準備金の積立額の算定上用いるべき計数は、剰余金の配当の効力発生日である×27年６月30日の金額とする。

  (3) 別途積立金の積立   22,000千円

  (4) 残額は次期へ繰越

2. 現金及び預金のうちには、ドル紙幣5,100千円（50,000ドル）、神谷銀行定期預金12,800千円（満期日：×30年５月20日）が含まれている。

3. 受取手形のうち3,000千円は、買掛代金3,000千円の決済のために仕入先に対して裏書譲渡したものであるが、これに係る処理が未済である。なお、当該手形の決済日は×28年５月31日である。また、保証債務（手形遡求義務）の時価相当額は100千円と評価された。保証債務に係る費用は手形売却損として営業外費用に表示する。

4. 有価証券の資料は次のとおりである（有価証券は、「金融商品に関する会計基準」に基づき処理を行っている。）。

  (1) 期末現在保有有価証券

    ① 西原物産株式会社株式：帳簿価額12,900千円、時価13,200千円、売買目的

    ② 本町商事株式会社社債：帳簿価額 7,000千円、×29年３月31日償還

    ③ 代々木物流株式会社株式：帳簿価額68,370千円、支配目的

    ④ 松濤工業株式会社株式：帳簿価額10,200千円、実質価額4,200千円

    ⑤ ＰＭ株式会社株式：帳簿価額11,340千円（108,000ドル）、時価90,000ドル、売買目的

    ⑥ ＪＬ株式会社社債：帳簿価額24,960千円（240,000ドル）、時価234,000ドル、×31年６月30日償還

  (2) 備考

    ① 本町商事株式会社社債、松濤工業株式会社株式及びＪＬ株式会社社債は、売買目的有価証券、満期保有目的の債券、子会社株式及び関連会社株式以外の有価証券である。

    ② 当社は代々木物流株式会社の議決権の60％を所有している。

    ③ 松濤工業株式会社株式の実質価額が、同社の財政状態の悪化により著しく低下しているため、減損処理を行うこととする。

    ④ ＪＬ株式会社社債に係る換算差額は全額評価差額として取扱うこととし、税効果会計を適用の上、全部純資産直入法により処理することとする。

5．仕入のうちには、円山商事株式会社を吸収合併した際に受入れた商品200,000千円が含まれている。

6．商品の評価は、先入先出法による原価法（収益性の低下による簿価切下げの方法）により行っている。期末商品帳簿棚卸高は212,000千円、期末商品実地棚卸高は199,500千円であり、帳簿棚卸高と実地棚卸高との差額のうち、2,500千円は経常的に生じる減耗で、これについては売上原価に含めることとし、残額は会社の器具備品として自家消費（事業供用日：×27年9月1日）したものである（〔資料2〕9参照。）。また、期末商品実地棚卸高のうち30,000千円は、正味売却価額が10,000千円まで下落している。当該正味売却価額の下落による評価損は臨時的事象であり、多額であると認められるため、特別損失に計上する。

7．貸付金のうち22,880千円（220,000ドル）は、海外のRS株式会社に対するものである。当該貸付金の返済日は×32年6月30日である。

また、残額82,000千円は代々木物流株式会社に対するものであり、当該貸付金は×28年9月30日から毎期均等額返済の契約で、最終返済日は×31年9月30日となっている。

8．仮払金の内訳は次のとおりである。

(1) 当期に行われた剰余金の処分に係る配当金の支払額 （〔資料2〕1参照。） 40,000千円

(2) 役員に対する賞与の支払額 22,500千円

これに対しては、前期末に、役員賞与引当金が同額設定されている。

(3) 当期に支払われた中間配当額 35,000千円

なお、当該中間配当は、繰越利益剰余金を財源として行われたものであるが、会社法に基づいた準備金の積立の処理が行われていない。準備金の積立額の算定上用いるべき計数は、剰余金の配当の効力発生日である×27年12月31日の金額とする。

(4) 当期に納付した前期に係る法人税及び住民税の確定納付額 49,000千円

(5) 当期に納付した前期に係る事業税の確定納付額 14,000千円

(6) 法人税及び住民税の予定納付額 35,700千円

なお、確定申告により翌期において納付すべき法人税及び住民税の税額は50,300千円である。

(7) 事業税の予定納付額 9,000千円

なお、このうち2,000千円は、外形基準分である。また、確定申告により翌期において納付すべき事業税の税額は17,000千円（うち外形基準分4,000千円）である。

(8) 自己が便益を受ける共同施設（アーケード）の設置負担額 4,200千円

×27年8月1日に支出したものであり、共同施設負担金として無形固定資産に計上し、5年間の定額法で償却することとする。

9．有形固定資産に係る資料は次のとおりである。なお、過年度における減価償却計算は適正に行われている。また、残存価額は×28年1月1日に取得し事業供用した建物（注3）を除き、取得原価の10%とする。

種　　類	取　得　原　価	期首未償却残高	償却年数	償却方法	備　　考
建　　物	550,000千円	322,300千円	50年	定額法	———
車両運搬具	142,000千円	96,702千円	6年	定率法	（注1）
器具備品	70,000千円	49,084千円	6年	定額法	（注2）
建設仮勘定	235,894千円	———	———	———	（注3）
土　　地	558,790千円	———	———	———	———

（注1）車両運搬具に係る代金未払額94,000千円（毎月2,000千円の均等額返済）が未払金に計上されている。

（注2）残高試算表に計上されている器具備品はすべて×25年4月1日に取得し事業供用したものであるが、当期において新製品の登場により著しい陳腐化が生じているため、償却期間を翌期末までとする。なお、当期以降の減価償却費は、下記の算式に基づいて算定することとする。

減価償却費＝（期首未償却残高－取得原価×10%）÷残存耐用年数（2年）

また、自家消費した器具備品（上記表中には含まれていない。）については償却年数6年（残存価額は取得原価の10%）の定額法で減価償却を行うものとする。

（注3）×28年1月1日に取得し事業供用した建物の取得原価50,000千円が建設仮勘定に含まれている。なお、当該建物の減価償却は、耐用年数50年、残存価額を零とする定額法により行うこととする。

（注4）残高試算表に計上されている器具備品以外の減価償却計算は下記の償却率を用いて行うこととする。

	3　年	4　年	5　年	6　年	50　年
定額法	0.333	0.250	0.200	0.166	0.020
定率法	0.536	0.438	0.369	0.319	0.045

10．のれんは、×27年4月1日を合併期日として円山商事株式会社を吸収合併した際に計上したものであり、5年間で定額法により償却する。また、商標権は×21年10月10日に取得したものであり、法定存続期間10年間で定額法により償却している。

11．開発費は、新市場の開拓による広告宣伝のために当期首において特別に支出したものであり、会社法に規定する最長期間で定額法により償却する。

12．租税公課のうち3,910千円は、当期に取得した土地に係る不動産取得税であり、土地の取得原価に算入する。

13. 借入金に関する資料は次のとおりである。

借　入　先	帳　簿　残　高	借　入　日	返　済　期　日	備　考
原　宿　銀　行	42,000千円	×26年5月1日	×31年4月30日	———
浜　田　取　締　役	22,800千円	×27年8月1日	×28年11月30日	———
笹塚商事株式会社	115,400千円	×27年4月11日	×30年4月10日	（注1）
Ｇ　Ｈ　銀　行	96,900千円	×27年10月1日	×31年3月31日	（注2）

（注1）当社の親会社からの借入金である。

（注2）ＧＨ銀行からの借入金は外貨建のもの950,000ドルである。

14. 社債のうち98,000千円は発行時の払込金額につき計上されたものである。当該社債の発行条件
　　は次のとおりである。

　(1) 発行日　×27年4月1日

　(2) 額面金額　100,000千円

　(3) 払込金額　98,000千円

　(4) 社債発行費　2,500千円

　(5) 満期日　×30年3月31日

　(6) 利払日　毎年3月末日の年1回

　(7) クーポン利子率　年2.4%

　(8) 払込金額に基づく実効利子率：年3.1%

　　　なお、クーポン利息の支払は適正に処理されている。額面金額と払込金額の差額は、金利調
　　整差額と認められることから、償却原価法（利息法）により処理することとする。

　　　また、残高試算表上の社債発行費は当該社債に係るものであり、会社法に基づく最長期間で
　　定額法により償却を行う。

15. 引当金の計上基準は次のとおりである。

　(1) 貸倒引当金は受取手形、売掛金及び貸付金の期末残高に対して1％を設定する。なお、貸倒
　　　引当金繰入額と貸倒引当金戻入額は相殺して純額で表示することとし、相殺後の貸倒引当金繰
　　　入額は全額販売費及び一般管理費に計上する。

　(2) 修繕引当金は翌期に行われる建物の定期修繕における支出見込額2,700千円を計上する。な
　　　お、残高試算表上の修繕引当金は前期末に設定したものの残額であるため戻入れることとし（当
　　　該戻入額は営業外収益に表示することとする。）、修繕引当金繰入額と修繕引当金戻入額は総額
　　　で表示することとする。

　(3) 賞与引当金を12,000千円計上する。

　(4) 退職給付引当金は以下の資料により計上する。なお、当社は確定給付型の企業年金制度及び
　　　退職一時金制度を採用しており、前期から「退職給付に関する会計基準」に基づき処理を行っ
　　　ている。会計基準変更時差異については、全額前期において一括費用処理されている。

① 期首年金資産　　　　　　　120,000千円

② 期首退職給付債務　　　　　210,000千円

③ 勤務費用　　　　　　　　　10,550千円

④ 割引率　　　　　　　　　　1.5%

⑤ 長期期待運用収益率　　　　1.0%

⑥ 数理計算上の差異は生じていないものとする。

　　なお、当期において企業年金に掛金600千円及び退職した従業員に当社から退職金1,200千円を支払ったが、支払額はすべてその他の販売管理費として処理している。

(5) 役員賞与引当金を20,000千円計上する。

16. 税効果会計に関する資料は次のとおりである。

(1) 一時差異（その他有価証券に係るものを除く。）

（単位：千円）

区　　　　　　　　　　　分	前　期　末	当　期　末
将来減算一時差異	131,500	126,800
将来加算一時差異	0	0

(2) 繰延税金資産の回収可能性に問題はないものとする。

(3) 繰延税金資産及び繰延税金負債は相殺の上、固定項目に表示する。

⇨解答：128ページ

制限時間	80分
難 易 度	B

　【資料1】及び【資料2】に基づき、**問1**から**問3**について答案用紙の所定の箇所に解答を記入しなさい。

問1　小売業を営む株式会社マルヒロ（以下「当社」という。）の第30期（自×3年4月1日　至×4年3月31日）における会社法及び会社計算規則に準拠した貸借対照表及び損益計算書について、答案用紙の〔　　〕には区分、項目又は名称を記入し、（　　）に金額を記入して完成させなさい。

問2　会社法及び会社計算規則に準拠した個別注記表の一部「貸借対照表等に関する注記」及び「損益計算書に関する注記」を完成させなさい。

問3　販売費及び一般管理費の明細を完成させなさい。

解答上の留意事項

1　消費税及び地方消費税（以下「消費税等」という。）の会計処理は、税抜方式によるものとする。なお、特に指示のない限り、消費税等について考慮する必要はないものとする。

2　税効果会計は、特に指示のない項目については適用しない。また、その適用に際しての法定実効税率は、前期、当期ともに30％とする。税務上の処理との差額は一時差異に該当し、繰延税金資産の回収可能性については問題がないこととする。なお、繰延税金資産及び繰延税金負債は相殺の上、固定項目に表示する。

　　なお、本問における税効果会計の適用を取りまとめた参考資料が【資料2】の「13　税効果会計に関する事項」に示されている。

3　関係会社に対する金銭債権・債務は、科目別注記法によることとする。

4　減価償却累計額の表示は、科目別注記法によることとする。

5　「会計方針の開示、会計上の変更及び誤謬の訂正に関する会計基準」に規定する「過去の誤謬」は生じていないものとする。

6　会計処理及び表示方法については、特に指示のない限り原則的方法によることとし、金額の重要性は考慮しないものとする。

7　解答金額については、【資料1】の決算整理前残高試算表における金額欄の数値と同様に、3桁ごとにカンマで区切り、解答金額がマイナスとなる場合には、金額の前に「△」を付すこと。この方法によっていない場合には正解としないので注意すること。

8　計算の過程で生じた千円未満の端数は、百円の位で四捨五入するものとする。

9　日数の計算は、便宜上すべて月割計算で行うものとする。

【資料1】 株式会社マルヒロの決算整理前残高試算表

決算整理前残高試算表

×4年3月31日 （単位：千円）

勘　定　科　目	金　　額	勘　定　科　目	金　　額
現　　　　　　　　金	5,350	支　払　手　形	156,400
当　座　預　金	50,828	買　　掛　　金	240,000
定　期　預　金	106,250	借　　入　　金	94,000
受　取　手　形	226,800	未　　払　　金	10,000
売　　掛　　金	457,412	仮　　受　　金	199,850
有　価　証　券	193,200	仮　受　消　費　税　等	405,638
繰　越　商　品	128,000	退　職　給　付　引　当　金	35,200
貯　　蔵　　品	3,200	貸　倒　引　当　金	2,000
未　収　入　金	13,000	営　業　保　証　金	25,000
貸　　付　　金	9,000	建物減価償却累計額	240,330
繰　延　税　金　資　産	32,400	器具備品減価償却累計額	20,928
仮　払　消　費　税　等	198,188	資　　本　　金	240,000
中　間　消　費　税　等	100,200	資　本　準　備　金	40,000
建　　　　　　　　物	353,000	そ　の　他　資　本　剰　余　金	3,000
器　具　備　品	46,000	利　益　準　備　金	32,000
土　　　　　　　　地	225,598	別　途　積　立　金	1,400
商　　標　　権	3,300	繰　越　利　益　剰　余　金	145,894
ソ　フ　ト　ウ　ェ　ア	2,320	売　　　上　　　高	3,234,990
仕　　入　　高	1,960,140	受　取　利　息	700
給　料　手　当	532,800	受　取　配　当　金	2,600
賞　　　　　　　　与	72,700	為　替　差　益	324
法　定　福　利　費	79,920	雑　　収　　入	340
広　告　宣　伝　費	56,600	債　務　保　証	8,000
旅　費　交　通　費	11,000		
租　税　公　課	7,640		
消　耗　品　費	4,000		
減　価　償　却　費	9,418		
リ　ー　ス　料	2,500		
その他販売費及び一般管理費	217,610		
支　払　利　息	270		
法　人　税　等	21,820		
雑　　損　　失	130		
債　務　保　証　見　返	8,000		
合　　　　　計	5,138,594	合　　　　　計	5,138,594

【資料２】　決算整理の未済事項及び参考事項

1 現金預金に関する事項

(1) 期末において金庫内を実査した結果、現金残高はおつり用予備金の100千円であった。

　　また、上記の現金以外にＪＪ社社債の期限の到来した利札500千円（未処理であり、源泉徴収税額は考慮する必要はない。）及び消耗品購入代金の支払のためにＡＡ銀行当座預金口座より振り出した小切手90千円が発見された。

(2) 当社は当座預金口座を２口座開設しており、残高証明書との間に差が生じている。内容は下記のとおりであるが、ＡＡ銀行とは当座借越契約を締結している。

　① ＡＡ銀行の当座預金の帳簿残高は19,900千円であるが、差額の原因は支払手形の期日到来による引落分の未記帳額50,000千円及び小切手の未取付分2,200千円によるものである。

　② ＢＢ銀行の当座預金の帳簿残高は30,928千円であるが、差額の原因は得意先からの売掛金の回収額5,250千円を経理担当者が誤って現金として処理したこと及び広告宣伝費の引落分の未記帳額1,200千円によるものである。

(3) 定期預金の内訳は以下のとおりである。

金融機関名	口座番号	金　額	備　　　考
ＡＡ銀行	（略）	100,250千円	×４年９月末日満期 当座借越契約の担保に供している。
ＤＤ銀行	（略）	6,000千円	×３年10月末日から毎月末均等積立 24,000千円で満期

2 受取手形及び売掛金に関する事項

(1) 受取手形20,000千円（決済期日：×４年４月末日）を×４年２月１日に銀行で割引き、割引料が差し引かれた残額を仮受金として処理している。なお、当該割引率は年３％として計算する。

(2) 当社は商品の販売形態として、現金販売に加えてクレジット販売を導入しているが、期末時点でのクレジット販売に係る売掛金50,000千円が売掛金勘定に含まれている。なお、当社が負担することになる信用会社に対するカード手数料は２％として計算することとし、入金時に支払手数料として費用計上することとする。

(3) 得意先のＥＥ社は、×４年２月に民事再生法に基づく再生計画が認可された。それに従い、ＥＥ社に対する売掛金1,200千円が切り捨てられることとなった。切り捨て部分には前期末に設定した貸倒引当金を充当する。

(4) 当期から取引を開始したＦＦ社は経営状態が悪化したため、×４年２月から現金販売にし

ている。現金販売に切り換えた時点での売上債権3,500千円については、×4年3月20日期日の手形を受け取っていたが、同社の要請で×4年6月20日期日の手形に差し替えた。同社に対する金銭債権は貸倒懸念債権に該当する。なお、ＦＦ社からは担保として営業保証金2,000千円を入手している。

(5) 得意先ＧＧ社に対する債権は、前期において回収に重大な問題が生じたため、貸倒懸念債権に分類していたが、同社は×4年2月に二度目の不渡りを発生させ、銀行取引停止処分になった。ＧＧ社に対する営業債権の期末残高は、受取手形5,000千円及び売掛金2,900千円であり、一年以内に回収される見込みはない。当期においてＧＧ社との取引はなく、取引開始時よりＧＧ社の社長個人が所有する不動産に担保を設定しており、担保設定時の時価は3,900千円、当期末現在の時価は5,900千円であった。前期末において、同社の債権に対して貸倒引当金が1,000千円設定されている。

(6) 売掛金には以下のドル建ての売掛金が含まれている。

売上計上日	売上外貨額	入金予定日	備考
×4年2月28日	300千ドル	×4年6月30日	下記参照

① 売上計上日の直物為替相場は118円／ドル。

② ×4年3月1日に114円／ドルで為替予約を行い、当該予約レートで売上計上を行った。

③ ×4年3月1日の直物為替相場は117円／ドル。

④ この為替予約については、振当処理を行い、直先差額は月割りにより期間配分する。

(7) 得意先が負担すべき配送料12千円を立替えたが、売掛金として処理しているため、立替金に振り替えることとする。

3 貸付金に関する事項

残高試算表に計上されている金額は全額、ＨＨ社に対して前期に貸し付けたものであり、返済は翌期を予定している。また、当期の利息は160千円であり適正に処理されている。

4 貸倒引当金に関する事項

(1) 営業債権（受取手形及び売掛金（クレジット売掛金を含む。）に限る。）を、一般債権、貸倒懸念債権及び破産更生債権等に区分し、それぞれの期末残高に対して貸倒引当金を次のように設定する。なお、繰入れは差額補充法によることとし、破産更生債権等に係る繰入額については特別損失に計上する。

① 一般債権に対しては、過去の貸倒実績率に基づき営業債権の期末残高の1％を引当計上する。

②　貸倒懸念債権に対しては、営業債権の金額から営業保証金を控除した残額の50％を引当計上する。

③　破産更生債権等に対しては、営業債権の金額から営業保証金等を控除した残額を引当計上する。

(2)　貸倒引当金の貸借対照表上の表示は、各資産区分の末尾にそれぞれ一括して控除科目として表示する。

(3)　貸倒懸念債権は一般債権と同じ科目で表示し、破産更生債権等は独立科目として表示する。

(4)　残高試算表の貸倒引当金は、前期末残高であり、ＧＧ社に対する金銭債権に係る貸倒引当金が含まれている。

5　有価証券に関する事項

(1)　残高試算表の有価証券勘定の明細は次のとおりであり、当社は売買目的有価証券及び満期保有目的の債券を保有していない。

銘　　柄	取得価額	前期末時価	当期末時価	備　　考
ＨＨ社株式	40,000千円	35,000千円	75,000千円	下記(3)参照
ＩＩ社株式	96,000千円	－	97,000千円	下記(4)参照
ＪＪ社社債	19,400千円	－	19,775千円	下記(5)参照
ＫＫ社株式	13,800千円		－	下記(6)参照
ＬＬ社株式	24,000千円	25,000千円	17,500千円	下記(7)参照

(2)　有価証券の評価基準及び評価方法は、子会社株式及び関連会社株式は移動平均法による原価法によっている。

　　また、その他有価証券のうち時価のあるものは、時価法（評価差額は全部純資産直入法で処理し、税効果会計を適用する。売却原価は移動平均法により算定）によっている。時価のない株式は移動平均法による原価法によっている。なお、時価が取得原価の50％以上下落した場合には、時価が取得原価まで回復する見込みがないものとして減損処理を行う。

　　また、減損処理は税務上も全額が損金として認められるものとする。

(3)　ＨＨ社の議決権の70％を所有しており、当社の役員数名が同社の役員に就任している。

(4)　ＩＩ社株式は業務提携目的で当期首において、取得したものである（議決権２％所有）。

(5)　ＪＪ社の社債は長期投資目的で×３年10月１日に発行と同時に取得したものである。債券金額は20,000千円、満期日は×７年９月30日であり、取得価額と債券金額との差額は、すべて金利の調整と認められるため、償却原価法（定額法）により処理することとする。

(6)　長期投資目的で保有している。

(7) 前期以前に一括で取得し、長期投資目的で保有しており、×4年3月30日に保有株式数90,000株のうち30,000株を10,460千円で売却する契約を締結しているが、未処理である。なお、当期末時価は、売却株式数控除後の保有株式数に対応するものであり、議決権は5％である。また、期末現在代金の決済（翌期中）及び有価証券の受渡しは行われていない。

6 棚卸資産に関する事項

棚卸資産の当期末残高の内訳は次のとおりである。

商品名	帳簿棚卸高		実地棚卸高		備 考
	数 量	原 価	数 量	正味売却価額	
MMM	1,500個	40,000円／個	1,350個	50,300円／個	下記(2)参照
NNN	1,200個	13,000円／個	1,200個	12,200円／個	下記(3)参照
OOO	800個	15,000円／個	850個	14,000円／個	下記(4)参照

(1) 残高試算表の繰越商品は前期末残高である。また、商品は先入先出法による原価法（貸借対照表価額は収益性の低下による簿価切下げの方法により算定）によっている。

(2) 差額のうち100個は取引先に見本品として提供したものであり、その他は原因が不明であるため、棚卸減耗損として売上原価に計上する。

(3) 実地棚卸高のうち20個は著しく品質低下をしており、見積処分価額は2,200円／個である。なお、当該簿価切下額は特別損失に計上する。

(4) カウント誤りのため、帳簿棚卸高が正しかった。なお、残高試算表の売上高には商品OOOをHH社に販売した256,000千円が含まれている。

7 有形固定資産に関する事項

有形固定資産に関する減価償却費の計上は、次の(3)に関する事項を除き、すでに適正に処理されている。なお、残存価額はすべて零とする。

(1) ×4年1月に発生した火災により、次の資産を焼失したが、会計処理が未済である。

項 目	取得原価	減価償却累計額	償却方法	償却率
商品倉庫	52,000千円	12,500千円	定額法	0.050

当期分の減価償却は行わないこととし、また、当該倉庫に保険を付しているが、保険金の支払いは期末現在未確定である。

(2) 当社所有の土地90,000千円が収用され、収用対価120,000千円を受領したが仮受金として計上したのみであり、会計処理が未了である。

なお、当期末に代替の土地（135,000千円）を取得しているため、売却益相当額につき圧縮記帳を行う。

損益計算書上の表示は、固定資産の取得原価から直接減額した額を固定資産圧縮損として特別損失に計上する。

(3) 当期首からリース契約（器具備品）を締結しており、同日より事業供用している。当該リース取引の契約内容等は次のとおりである。

① 解約不能のリース期間：5年

② リース物件（器具備品）の経済的耐用年数：6年

③ 所有権移転条項及び割安購入選択権はともになく、リース物件は特別使用ではない。

④ リース料は年額2,500千円であり、リース料総額は12,500千円である。リース料の支払は、毎年3月末日（1年分後払方式）であり、当期の支払リース料はリース料勘定に計上している。

⑤ 貸手の計算利子率は知り得ない。当社の追加借入に適用されると合理的に見積もられる利率は年4％である。4％で5年の年金現価係数は4.452とする。

⑥ 当社における当該器具備品の見積現金購入価額は11,400千円である。

⑦ リース資産及びリース債務の計上額を算定するに当たっては、原則法（リース料総額からこれに含まれている利息相当額の合理的な見積額を控除する方法）によることとし、当該利息相当額についてはリース期間にわたり利息法により配分することとする。

⑧ 減価償却はリース期間を耐用年数とし、残存価額をゼロとする定額法によって行う。リース資産は、有形固定資産に一括してリース資産として表示するものとする。

問題6

問題

8 無形固定資産に関する事項

　　無形固定資産の内訳は以下のとおりであるが、償却計算が未済である。

項　　目	利用開始時期	帳簿価額	備　　考
商　標　権	×2年6月1日	3,300千円	下記(1)参照
ソフトウェア	×4年1月10日	2,320千円	下記(2)参照

(1) 償却期間10年で定額法により償却する。

(2) 社内利用のソフトウェアであり、その利用により将来の費用削減効果が確実と認められるため、償却期間5年の定額法により償却計算を行う。なお、帳簿価額には、当社の仕様に合わせるための修正作業費用400千円、研修に伴うテキスト代及び講師派遣料220千円が含まれている。

9 借入金に関する事項

当期の利息計算は、すべて適正に処理されており、経過利息は生じていない。

借入先	帳簿残高	借入日	返済日	返済方法
ＰＰ銀行	84,000千円	×2年10月1日	×7年9月30日	毎月末均等返済
取締役	10,000千円	×1年6月1日	×4年5月31日	一括返済

上記取締役はＰＰ銀行借入金の保証人となっていたが、ＰＰ銀行の借入金の借り換えにより保証人が変更される目途が立ったため、保証人変更と引き換えに上記取締役に対して借入金の債務免除を申し込み、承諾された。

会計処理が未済であるため、適切な科目に振り替えることとする。

10 退職給付引当金に関する事項

当社は、従業員の退職給付に備えるため、退職一時金制度及び確定給付型の企業年金制度を採用しており、以前より、「退職給付に関する会計基準」を適用している。

(1) 前期末の退職給付債務は64,000千円、年金資産は21,000千円である。

(2) 当期の勤務費用及び利息費用はそれぞれ11,000千円、960千円である。

(3) 期待運用収益は420千円である。

(4) 未認識数理計算上の差異は発生年度の翌年度から定額法により10年間で償却を行っており、前期末の未認識差異（全額が前期に発生したもので損失差異）は1,600千円である。

(5) 当期中の退職給付一時金の支払額4,000千円及び年金掛金2,200千円の拠出額については適正に処理済みであり、その他に企業年金からの支給が6,000千円ある。

11 純資産に関する事項

(1) ×4年4月15日を払込期日として、新株の発行を行ったが払込金額全額につき仮受金として処理しているのみである。

なお、発行する株式数は50,000株、1株あたりの払込金額は1,200円である。

(2) ×3年6月に開催された定時株主総会において、繰越利益剰余金50,000千円の資本組入れの議案が決議されているが、会計処理が未済である。なお、効力発生日は、×3年6月25日である。

12 諸税金に関する事項

(1) 各税目とも前期末未払計上額と納付額に過不足はなかった。

(2) 当期の消費税の年間納税額は、207,450千円である。消費税等の中間納税額は100,200千円であり、残高試算表の中間消費税等に含まれている。なお、消費税等の確定納税額は107,250

千円であり未払計上する。

(3) 法人税等について税額を計算した結果、次のとおり算定された。年税額から中間納税額を差し引いた金額を申告納税額として未払計上する。また、事業税（資本割及び付加価値割）については租税公課勘定で計上する。

なお、中間納税額は適切に計上されており、また、前期末に未払計上した金額と納税額との間に過不足はなかった。

種　　　類	年　税　額	中　間　納　税　額
法　　人　　税	30,000千円	18,200千円
住　　民　　税	3,800千円	2,220千円
事業税　所　得　割	3,000千円	1,400千円
資　本　割	4,800千円	2,800千円
付加価値割	7,560千円	4,160千円

13　税効果会計に関する事項

(1) 残高試算表の繰延税金資産は前期末残高に係るものである。

(2) 「5　有価証券に関する事項」で決算整理した「その他有価証券」の評価差額を除く一時差異は次のとおりである。

項　　　　　目	当期末金額
将来減算一時差異	
退　職　給　付　引　当　金	各自推定
そ　の　他　の　項　目	17,226千円
永久差異	32,000千円

14　その他の事項

(1) 給料手当には、役員に対する報酬24,000千円が含まれている。

(2) 残高試算表の債務保証及び債務保証見返は、ⅠⅠ社の金融機関からの借入金に対する当社の債務保証額8,000千円の備忘記録である。

⇨解答：140ページ

問 題 7

　【資料1】及び【資料2】に基づき、小売業を営む株式会社ナイン（以下「当社」という。）の第48期（自X27年4月1日　至X28年3月31日）における会社法及び会社計算規則に準拠した貸借対照表及び損益計算書について、答案用紙の〔　　〕には区分、項目又は名称を記入し、所定の箇所に金額を記入して完成させなさい。

　また、会社法及び会社計算規則に準拠した「貸借対照表等に関する注記」及び「損益計算書に関する注記」を完成させなさい。

解答上の留意事項

1　消費税及び地方消費税（以下「消費税等」という。）の会計処理は、税抜方式によるものとする。
　　なお、特に指示のない限り、消費税等について考慮する必要はないものとする。

2　税効果会計は、特に指示のない項目については適用しない。また、その適用に際しての法定実効税率は、前期、当期ともに40％とする。税務上の処理との差額は一時差異に該当し、繰延税金資産の回収可能性については問題がない。
　　なお、本問における税効果会計の適用を取りまとめた参考資料が【資料2】の「12　税効果会計に関する事項」に示されている。

3　関係会社に対する金銭債権・債務は、科目別注記法によることとする。

4　会計処理及び表示方法については、特に指示のない限り原則的方法によることとし、金額の重要性は考慮しないものとする。

5　解答金額については、問題文の決算整理前残高試算表における金額欄の数値と同様に、3桁ごとにカンマで区切り、解答金額がマイナスとなる場合には、金額の前に「△」を付すこと。この方法によっていない場合には正解としないので注意すること。

6　計算の過程で生じた千円未満の端数は、百円の位で四捨五入するものとする。

7　日数の計算は、便宜上すべて月割計算で行うものとする。

【資料１】　株式会社ナインの決算整理前残高試算表

決算整理前残高試算表

X28年3月31日　　　　　　　　（単位：千円）

勘 定 科 目	金 額	勘 定 科 目	金 額
現 金 預 金	374,080	支 払 手 形	100,070
受 取 手 形	555,120	買 掛 金	116,840
売 掛 金	585,436	借 入 金	194,000
繰 越 商 品	62,764	未 払 金	91,160
貯 蔵 品	1,022	仮 受 金	269,850
前 払 費 用	2,520	預 り 金	16,116
未 収 入 金	11,200	仮 受 消 費 税 等	182,183
貸 付 金	76,000	賞 与 引 当 金	21,000
仮 払 金	21,682	退 職 給 付 引 当 金	714,000
繰 延 税 金 資 産	299,780	営 業 保 証 金	15,500
仮 払 消 費 税 等	174,683	建物減価償却累計額	310,920
建 物	580,000	資 本 金	925,000
器 具 備 品	4,000	資 本 準 備 金	130,000
土 地	364,981	その他資本剰余金	24,000
建 設 仮 勘 定	500,000	利 益 準 備 金	13,000
ソ フ ト ウ ェ ア	1,350	別 途 積 立 金	114,000
の れ ん	206,000	繰 越 利 益 剰 余 金	176,775
その他無形固定資産	7,320	売 上 高	2,442,358
投 資 有 価 証 券	219,500	受取利息及び配当金	16,490
自 己 株 式	1,100	雑 収 入	9,190
仕 入	1,376,920	債 務 保 証	1,200
販売費及び一般管理費	289,238		
支 払 利 息	8,552		
法 人 税 等	154,535		
雑 損 失	4,669		
債 務 保 証 見 返	1,200		
合 計	5,883,652	合 計	5,883,652

【資料２】　決算整理の未済事項及び参考事項

1　現金預金に関する事項

(1) 期末日において会社の金庫に次のものが保管されていた。

（単位：千円）

種　　類	金　額	摘　　　　要
紙 幣 及 び 貨 幣	800	帳簿上では812千円であるが、不足の原因は不明である。当該差額は雑損失に計上する。
他 人 振 出 当 座 小 切 手	120	受取手形として処理済みである。（振出日：X28年3月20日）
収 　 入 　 印 　 紙	90	販売費及び一般管理費（租税公課）として処理済みである。
郵 　 便 　 切 　 手	50	販売費及び一般管理費（通信費）として処理済みである。
未 　 渡 　 小 　 切 手	100	下記1 (2)参照

(2) 当座勘定照合を作成したところ、A銀行の当座預金について銀行残高証明書の残高と会社帳簿残高に相違があり、その内容は次のとおりであった。他の口座には銀行残高証明書との相違はない。

（単位：千円）

項目（差異調整内容）	金　額	摘　　　　要
会社帳簿残高	625	
水道光熱費	△60	当社の営業所の水道光熱費が自動引き落としとなっていたが未記帳であった。
未渡小切手	100	G社に対する未払金の支払いに当てるため小切手を作成したが、未渡しとなっており手許に残っていた。
当座振込	36	売掛金の当座振込みがあったが、当該通知が未達であった。
A銀行残高証明書算残高	701	

2　受取手形及び売掛金に関する事項

(1) 得意先M社は急速に経営状況が悪化し、X28年1月に民事再生法による再生手続申立てを行った。期末現在の同社に対する受取手形残高3,000千円及び売掛金残高6,500千円がある。なお、当該債権については今後1年以内に回収ができないと判断される。

(2) 当期から取引を開始した得意先N社は、当期において2回目の手形不渡り（額面金額5,500千円）を起こし銀行取引停止処分となった。同社に対する受取手形残高は上記の他に3,800千円ある。また、当該債権については今後1年以内に回収ができないと判断される。

（3）当期から取引を開始した得意先Ｌ社に対する売掛金残高2,300千円（入金予定日：Ｘ28年２月16日）の入金が期末にいたるまでなく、また、同社は債務の弁済に重大な問題が生じる債務者に該当すると判断されるため、貸倒懸念債権に分類する。なお、取引開始時よりＬ社から営業保証金1,300千円を預かっている。

（4）受取手形には上記の他にＩ社に対するものが6,600千円及びＦ社に対する貸付（返済日：Ｘ30年10月16日）の際に受け取ったもの7,800千円が含まれている。

3　貸付金に関する事項

貸付金には当社の取締役に対するもの2,000千円（返済予定日：Ｘ29年３月31日）とＧ社に対するもの50,000千円（返済予定日：Ｘ32年８月31日）が含まれており、その他はすべて短期性の貸付金である。また、利息については適正に処理済であり、取締役に対するもの20千円及びＧ社に対するもの1,000千円が含まれている。

4　貸倒引当金に関する会計方針

（1）受取手形、売掛金及び貸付金の期末残高に対して貸倒引当金を設定するが、一般債権、貸倒懸念債権及び破産更生債権等に区分して算定する。

（2）一般債権に対しては、過去の貸倒れ実績率に基づき受取手形、売掛金及び貸付金の期末残高の１％を引当計上する。貸倒懸念債権に対しては、債権総額から担保等処分見込額を控除した残額の50％を引当計上する。また、破産更生債権等に対しては、債権総額から担保等処分見込額を控除した残額を引当計上する。

（3）貸倒引当金の貸借対照表の表示は、各資産区分の末尾にそれぞれ一括して控除科目として表示する。なお、営業債権に対する繰入額は販売費及び一般管理費、営業外債権に対する繰入額は営業外費用に計上するが、破産更生債権等に係る繰入額については特別損失に計上する。

5　投資有価証券に関する事項

残高試算表の投資有価証券の内訳は次のとおりである。

その他有価証券の評価は、市場価格のあるものは決算期末日の市場価格に基づく時価法（評価差額は税効果会計を適用した上で全部純資産直入法により処理し、売却原価は期別総平均法により算定する。）、市場価格のないものは期別総平均法による原価法によっている。なお、時価が取得原価の50％以上下落した場合には減損処理することとしている。

銘　柄	前　期　末　残　高		当期末残高	摘　　　　要
	帳簿価額	時　価	時　価	
Ｆ社株式	31,500	10,500	9,800	上場株式であり、長期投資目的で保有
Ｇ社株式	122,000	141,000	144,000	上場株式（注１）
Ｈ社株式	——	——	17,500	売買目的で保有（注２）
Ｉ社株式	36,000	——	——	非上場株式（注３）
Ｊ社株式	26,000	24,100	26,300	上場株式であり、長期投資目的で保有
Ｋ社株式	10,000	12,500	13,000	上場株式であり、業務提携目的で保有（注４）

（注１）　当社は同社の議決権の20％を保有している。

（注２）　当期に15,000千円で取得したものである。

（注３）　当社は同社の議決権の65％を保有している。

（注４）　Ｋ社との業務提携の解消に伴い当期において、その全株式を12,750千円で売却しているが現金受取額を仮受金として処理しているのみである。当該有価証券に係る売却損益は、臨時性が認められる。

（注５）　当社は上記のほかにＸ社株式（その他有価証券）を10,000千円（期末時価：12,000千円）で当期に取得しており、当該有価証券の取得代金の支払についてはＸ28年8月30日を決済とする手形を振り出している。なお、会計処理については未了である。

6　棚卸資産に関する事項

棚卸資産の当期末残高の内訳は次のとおりである。また、残高試算表の繰越商品及び貯蔵品は前期末残高である。

摘　要	実地棚卸高	帳簿棚卸高	差　額	差額の内訳等
商品A	100,800千円	101,060千円	△　260千円	差額は原因不明の数量不足によるものであり売上原価として処理する。
商品B	30,120千円	35,000千円	△4,880千円	差額は品質低下が生じている一部商品に係るものであり、特別損失として処理する。
商品C	各自推定千円	1,300千円	各自推定千円	売価1,250千円及び見積販売直接経費25千円であり、収益性の低下による簿価切下げの処理をする。
貯蔵品	812千円	——	——	貯蔵品はすべて事務用消耗品である。ただし、上記1(1)を除く。

(1) 商品CはすべてI社からの現金仕入（当期仕入額32,000千円）によるものである。

(2) 貯蔵品についてはすべて購入時に販売費及び一般管理費で処理し、期末に実地棚卸に基づいた未使用分を最終仕入原価法により評価し、棚卸資産に計上している。

7　有形固定資産に関する事項

有形固定資産の内訳は次のとおりである。各項目における減価償却計算は、期首において保有しているものについて1年間分の減価償却費を計上済みである。なお、当社はX19年度税制改正後も引き続き改正前の減価償却方法を採用し、残存価額は取得原価の10%としている。

(1) 建物の内訳は次のとおりである。

項　　目	取得年月日	取　得　原　価	償却方法	耐用年数	償却率
本社建物　A	X13年5月5日	400,000千円	定　額　法	25年	0.040
支社建物　B	X13年6月20日	180,000千円	定　額　法	25年	0.040

(注) 本社建物Aについては、X27年10月10日に土地（帳簿価額）201,000千円とともに合計250,000千円で売却をしたが、売却代金を仮受金として処理しているのみである。また、本社建物Aの売却に伴い、建物Cの賃借契約を結びX27年10月1日を初回とする毎月1日払いの賃借料の1年間分9,000千円を前払いし、その全額を販売費及び一般管理費（不動産賃借料）として処理している。なお、建物Cの賃貸契約はX30年完成予定の建物D（現在建設中であり、残高試算表の建設仮勘定はすべて当該建物に係るものである。）の稼動後に解約する予定である。

(2) 器具備品の内訳は次のとおりである。

項　　目	取得年月日	取　得　原　価	償却方法	耐用年数	償却率
コンピュータ	X27年9月21日	4,000千円	定　率　法	5年	0.369

（注）X27年10月1日から使用を開始したものである。

8　ソフトウェアに関する事項

項　　目	取得年月日	取　得　原　価	償却方法	耐用年数	償却率
顧客管理用	X27年9月25日	1,350千円	定額法	5年	0.200

（注）上記7（2）のコンピュータで使用するソフトウェアでありX27年10月1日より稼動して

おり、このソフトウェアの利用により将来の費用削減効果が確実と認められる。

また、取得原価にはこのソフトウェアの操作をトレーニングするための費用150千円と

導入にあたっての必要な設定作業費用120千円が含まれている。

9　借入金に関する事項

借入金の内訳は以下のとおりである。

借　入　先	借　入　日	返　済　日	返　済　方　法	借入残額
A銀行	X28年3月5日	X29年3月4日	一括返済	106,000千円
B銀行	X26年12月1日	X31年11月末日	毎月末均等返済	88,000千円

（注）利息については適正に処理済である。

10　従業員賞与に関する事項

従業員賞与についてはX28年7月の夏季賞与の支給が23,000千円と見込まれている。支給対

象期間は1月から6月であるため、当期の負担額を引当金計上する。

残高試算表の賞与引当金21,000千円は前期末残高であるが、当社はX27年7月支給時に以下

のような会計処理をしているのみである。

なお、賞与引当金は税務上全額否認されるため、税効果会計を適用する。

（単位：千円）

（販売費及び一般管理費）	43,000	（現　金　預　金）	43,000

11 諸税金に関する事項

(1) 各税目とも前期末未払計上額は当初申告納付税額である。

(2) 決算整理前残高試算表の法人税等には、法人税及び住民税146,860千円、事業税7,360千円
（付加価値割及び資本割により算定された税額800千円を含む。）の中間納付税額並びに源泉
徴収された所得税315千円の合計154,535千円が計上されている。

(3) 当期の確定年税額（中間納付額及び源泉徴収税額控除前）は、法人税及び住民税260,800
千円、事業税17,800千円（付加価値割及び資本割により算定された税額1,800千円を含む。）
である。なお、未払事業税については、前期、当期とも同額であり、税効果会計を適用する。

(4) 消費税等の中間納付税額が3,682千円が仮払金に計上されている。なお、消費税等の確定納
付額は3,818千円である。

12 税効果会計に関する事項

(1) 決算整理前残高試算表の繰延税金資産は前期末残高である。

(2) 「5 投資有価証券に関する事項」で決算整理した「その他有価証券」の評価差額を除く
一時差異及び永久差異は次のとおりである。

（単位：千円）

項　　　　　　　目	前期末金額	当期末金額
将来減算一時差異		
未　払　事　業　税	10,440	10,440
賞　与　引　当　金	21,000	各自推定
退　職　給　付　引　当　金	680,000	714,000
そ　　　の　　　他	38,010	50,100
将来減算一時差異合計	749,450	各自推定
永久差異	46,800	48,200

(3) 繰延税金資産及び繰延税金負債は相殺の上、固定項目に表示する。

13 その他

(1) X27年6月25日に開催された定時株主総会において、繰越利益剰余金60,000千円の資本組
入れが承認されたが会計処理が未済である。

(2) 過年度に償却した債権のうち2,600千円が当期に回収されたが、仮受金で処理しているた
め、「金融商品会計に関する実務指針」の原則的表示にしたがって適切な科目に修正する。

(3) 商品購入の際に手付金18,000千円を支払ったが仮払金として処理しているのみである。なお、当該商品の受渡し予定日はX28年5月である。

(4) 仮受金には従業員から源泉徴収した所得税4,500千円が含まれている。

(5) 残高試算表の債務保証は、G社がC銀行より運転資金1,200千円を借り入れた際に行ったものである。

⇨解答：156ページ

問題8

問1 【資料1】及び【資料2】に基づき、株式会社スモモ商事（以下「当社」という。）の第23期（自×3年4月1日　至×4年3月31日）における会社法及び会社計算規則に準拠した貸借対照表及び損益計算書を作成しなさい。

問2 【資料3】に基づき、当社の第23期（自×3年4月1日　至×4年3月31日）における会社法及び会社計算規則に準拠した株主資本等変動計算書の空欄①から④の金額を求めなさい。

問3 【資料3】に基づき、当社の第23期（自×3年4月1日　至×4年3月31日）における株主資本等変動計算書に関する注記を作成しなさい。

解答上の留意事項

1　消費税及び地方消費税（以下「消費税等」という。）の会計処理は、税抜方式によるものとする。なお、特に指示のない限り、消費税等について考慮する必要はないものとする。

2　税効果会計は、特に指示のない項目については適用しない。

3　「会計方針の開示、会計上の変更及び誤謬の訂正に関する会計基準」に規定する「過去の誤謬」は生じていないものとする。

4　会計処理及び表示方法については、特に指示のない限り原則的方法によることとし、金額の重要性は考慮しないものとする。

5　解答金額については、問題文の決算整理前残高試算表における金額欄の数値と同様に、3桁ごとにカンマで区切り、解答金額がマイナスとなる場合には、金額の前に「△」を付すこと。この方法によっていない場合には正解としないので注意すること。

6　計算の過程で生じた千円未満の端数は、百円の位で四捨五入するものとする。

7　日数の計算は、便宜上すべて月割計算で行うものとする。

8　×3年3月31日の発行済株式数は、71,000株である。

9　×4年3月31日の為替相場は108円/ドルである。

【資料１】 株式会社スモモ商事決算整理前残高試算表

決算整理前残高試算表

×４年３月31日　　　　　　　　　　（単位：千円）

勘　定　科　目	金　額	勘　定　科　目	金　額
現　　　　　　金	5,435	支　払　手　形	36,000
預　　　　　　金	1,499,664	買　　掛　　金	56,000
受　取　手　形	84,410	借　　入　　金	459,760
売　　掛　　金	239,475	未　　払　　金	120,000
繰　越　商　品	24,200	預　　り　　金	500
前　払　費　用	6,600	仮　　受　　金	14,500
仮　　払　　金	31,890	仮　受　消　費　税　等	396,000
繰　延　税　金　資　産	15,600	貸　倒　引　当　金	3,500
仮　払　消　費　税　等	278,000	建物減価償却累計額	22,500
建　　　　　　物	263,000	器具備品減価償却累計額	7,500
車　両　運　搬　具	69,000	資　　本　　金	400,000
器　具　備　品	15,000	資　本　準　備　金	23,000
土　　　　　　地	592,130	その他資本剰余金	25,000
ソ　フ　ト　ウ　ェ　ア	12,000	利　益　準　備　金	18,400
投　資　有　価　証　券	80,000	役員退職慰労積立金	30,000
売　　上　　割　　戻	100	繰　越　利　益　剰　余　金	497,210
売　　上　　値　　引	700	売　　　上　　　高	4,208,828
仕　　　入　　　高	1,533,800	受　　取　　利　　息	340
販売費及び一般管理費	1,245,134	受　取　配　当　金	2,500
支　払　利　息	600	雑　　収　　入	200
法　人　税　等	324,600		
雑　　損　　失	400		
合　　　　計	6,321,738	合　　　　計	6,321,738

【資料２】　決算整理の未済事項及び参考事項

1　現金預金に関する事項

(1)　期末日において会社の金庫に次のものが保管されていた。

（単位：円）

紙幣及び硬貨	5,001,000
他人振出の当座小切手	430,000
自己振出の未渡小切手	300,000
収入印紙	8,000
郵便切手	13,000

　　　上記の紙幣及び硬貨の帳簿残高は5,005,000円である。原因を調べたが不明であったため、差額については雑損失又は雑収入として処理する。

(2)　当座預金照合表を作成したところ、Ａ銀行の当座預金について銀行残高証明書の残高と会社帳簿残高に相違があり、その内容は次のとおりであった。他の口座には銀行残高証明書との相違はない。

差異調整内容	金　　額	摘　　　　　　要
会 社 帳 簿 残 高	111,000円	
売 掛 金 の 回 収	各自推定	売掛金の回収250,000円を125,000円と記帳し、さらに貸借反対に記帳したことによるものである。
未 渡 小 切 手	300,000円	Ｂ社に対する買掛金の支払いにあてるため小切手を作成したが、未渡しとなっており手元に残っていた。
支 払 手 数 料	△11,000円	銀行に対する支払手数料が自動引き落としとなっていたが、未記帳であった。
Ａ銀行残高証明書	775,000円	

2　受取手形及び売掛金に関する事項

(1)　得意先ＺＺ社に対する受取手形5,000千円は、期日までに決済されずに不渡りとなっているが、これにつき当社は償還請求の際の諸費用10千円を仮払金で処理したのみである。なお、当該債権の回収には長期間を要する見込みである。

(2)　得意先ＹＹ社は前期において回収に重大な問題が生じたため、前期末において売掛金6,000千円を貸倒懸念債権に分類していたが、同社は×４年２月14日に二度目の不渡りを発生させ、銀行取引停止処分になった。当該債権について今後１年以内に回収ができないと判断し、破産更生債権等に分類する。当期においてＹＹ社との取引はなく、取引開始時より有

価証券（取引開始時の時価3,000千円、期末時価3,015千円）を担保として入手している。

(3) ＸＸ社に貸付（貸付額：3,000千円　貸付日：×3年5月　返済日：×6年9月）を行い、手形を受け取っている。当社は当該手形を受取手形として処理している。

(4) ＷＷ社に対する受取手形9,210千円は、当期に発生した電子記録債権である。貸借対照表では「電子記録債権」として表示することとした。

(5) 過年度に償却した債権のうち700千円が当期に回収されたが、売掛金の減額として処理されているため、「金融商品会計に関する実務指針」の原則的表示にしたがって適切な科目に修正する。

3　貸倒引当金に関する事項

(1) 金銭債権（受取手形、売掛金及び貸付金に限り、電子記録債権は除く。）を、一般債権、貸倒懸念債権（ＺＺ社に対する債権）及び破産更生債権等に区分し貸倒引当金を次のように設定する。繰入れは、営業債権と営業外債権の区分に応じて、損益計算書に適切に表示する。なお、繰入れは差額補充法によることとする。また、破産更生債権等に係る繰入額については、特別損失に計上する。

① 一般債権：過去の貸倒実績率に基づき受取手形、売掛金及び貸付金の期末残高の1％を貸倒引当金として計上する。

② 貸倒懸念債権：営業債権から担保等処分見込額を控除した後の残額の50％を貸倒引当金として計上する。

③ 破産更生債権等：営業債権から担保等処分見込額を控除した後の残額を貸倒引当金として計上する。破産更生債権等は独立科目として表示する。

(2) 残高試算表の貸倒引当金の金額は前期末残高であり、一般債権（営業債権）に係る額2,000千円、ＹＹ社に係る額1,500千円である。

(3) 貸倒引当金の貸借対照表の表示は、各資産区分の末尾にそれぞれ一括して控除科目として表示する。

(4) 税効果会計上、貸倒引当金の残高を将来減算一時差異として取り扱う。

4　投資有価証券に関する事項

次の銘柄等は残高試算表上、投資有価証券に計上されており、適切な表示科目に振り替える。

銘柄等	取得原価	前期末時価	当期末時価	備　考
ＢＢ株式	200	－	212	下記(2)参照
ＣＣ株式	41,000	23,000	19,000	下記(3)参照
ＤＤ株式	3,200	－	4,800	下記(4)参照
ＥＥ株式	4,500	4,000	4,100	下記(5)参照
ＦＦ社債	28,000	－	290千ドル	下記(6)参照
自社株式	3,100	3,200	2,900	下記(7)参照

(1)　「その他有価証券」の評価は、時価のあるものは時価法（評価差額は全部純資産直入法により処理し、税効果会計を適用し繰延税金資産又は繰延税金負債を認識する。）、時価のないものは原価法によっている。なお、時価が取得原価の50％以上下落した場合には減損処理を行う。また、減損処理は、税務上も全額が損金として認められる。

(2)　ＢＢ株式について、当社は売買目的で所有している。

(3)　ＣＣ株式について、当社は長期保有目的で所有している。なお、当社は同社の議決権の18％を所有している。

(4)　ＤＤ株式について、当社は長期投資目的で当期に購入した際、×5年4月11日を決済日とする手形を振り出しているが、全額支払手形として処理している。

(5)　ＥＥ株式について、当社は同社の議決権の20％を所有している。

(6)　ＦＦ社債は、満期まで保有することを目的として発行と同時（当期首）に取得したものである。当該社債は割引発行されたものを取得（債券金額：300千ドル　取得価額：280千ドル、償還期日：×7年3月31日）したものであり、取得価額と債券金額の差額は金利の調整と認められるため、償却原価法（定額法）を適用するものとする。また、期中平均為替相場は104円/ドルである。

(7)　自社株式は、前期に2,000株を適正に取得したものである。

5　棚卸資産に関する事項

　　残高試算表の繰越商品は前期末残高であり、当期末残高の内訳は次のとおりである。

区分	帳簿棚卸高	実地棚卸高	差　異	備　考
商　品	60,700千円	59,000千円	1,700千円	下記(1)(2)(3)参照
貯蔵品	──	40千円	──	下記(4)参照

(1)　上記の他に商品代金として支払った400千円を仮払金として処理している。当該商品は×4年4月中旬に納品される予定である。

(2)　差異のうち1,000千円は得意先に見本品として提供したもの、差額の残額は原因不明の数

量不足であり減耗損として売上原価に表示する。

(3) 実地棚卸高の中には陳腐化による長期滞留品が含まれており、通常の販売価格での販売が見込めないため、処分見込価額まで2,000千円の評価減をすることとした。なお、この評価減は原価性がないので、特別損失に表示する。

(4) すべて荷造梱包用品であり、収入印紙及び郵便切手は含まれていない。当社は収入印紙、郵便切手及び荷造梱包用品については購入時に販売費及び一般管理費に費用計上しているが、期末の手許残高を購入時に販売費及び一般管理費からマイナスするとともに貯蔵品として計上する方法を採用している。貯蔵品の前期末残高はゼロである。

6 有形固定資産に関する事項

(1) 有形固定資産の内訳は次のとおりであり、減価償却の計算は未了である。いずれの有形固定資産も残存価額はゼロとし、減価償却計算は使用した月数により行う。

区 分	取得原価	償却方法	耐用年数	償却率	備考
商品倉庫用建物	233,000千円	定額法	20年	0.050	下記(2)参照
営業所建物	30,000千円	定額法	20年	0.050	下記(3)参照
車両運搬具	69,000千円	定率法	5年	0.400	下記(4)参照
器具備品	15,000千円	——	4年	——	下記(5)参照

(2) 当社は×3年4月15日に商品倉庫を取得し、同日より事業の用に供している。当社は耐用年数にわたって使用した後、これを除去する法的義務があり、除去するときの支出は11,000千円と見積もられているが、資産除去債務に関する会計処理が未了である。なお、資産除去債務の算定に用いる割引率は2％とし、現在価値に割り引く際の現価係数は0.673とする。なお、税効果会計の適用は考慮外とする。

(3) 建物のうち30,000千円（期首減価償却累計額22,500千円）は、営業所として当期の期末まで使用していた。当該建物については減損処理を行う。なお、回収可能価額は4,500千円と算定され、税効果会計の適用は考慮外とする。

(4) 当社は×3年9月21日に車両運搬具を購入し、翌月から事業の用に供している。当社は当該車両について一部代金は未払いである。残額60,000千円は未払金に計上されており、毎月1,500千円を返済する契約となっている。なお、利息については適正に処理済みである。

(5) 前期首に取得し事業の用に供しているものであるが、当期首より償却方法を定率法から定額法に変更した。なお、耐用年数4年の定率法償却率は0.500であり、耐用年数3年の定額法償却率は0.334である。

7 無形固定資産に関する事項

販売管理システムのソフトウェア（取得原価12,000千円、事業供用日は×3年4月1日、耐

用年数は5年）については、定額法により償却計算を行うが、当社は当期の償却計算を行っていない。なお、取得原価には当社の仕様に合わせるための設定作業費用1,500千円が含まれている。

8 給与等に関する事項

(1) 3月分の役員報酬について、源泉徴収額420千円を控除した4,580千円を仮払金として処理しているのみである。

(2) 従業員賞与については×4年6月の夏期賞与（支給対象期間は12月から5月）の支給が12,000千円と見込まれており、当期の負担額を引当金計上する。なお、賞与引当金については法定福利費の会社負担額は15%として計算し、未払費用に計上する。

また、税効果会計上、賞与引当金の残高を将来減算一時差異として取り扱うものとし、未払費用については考慮外とする。

(3) 退職した役員に対し20,000千円の退職慰労金を支給しているが、借方を販売費及び一般管理費（給料手当）として記帳を行っているため、適切な科目に振り替えて表示すること。

また、役員退職慰労積立金15,000千円の取崩しも未了である。

9 借入金及び債務保証に関する事項

	金額	借入日	返済日	摘 要
A銀行	39,760千円	×3年4月1日	×4年9月30日	返済方法は一括返済であり、保証料240千円が控除されている。保証料は当期分を配分し、営業外費用の支払利息に含めて表示する。
B銀行	420,000千円	×2年6月1日	×5年11月30日	借入日の翌月から毎月末元金均等払いの返済であり、当社は当期の3月分の返済について仮払金として処理している。

利息についてはすべて適正に処理済みである。

10 諸税金に関する事項

(1) 当期の消費税等の年間納税額は117,700千円である。消費税等の中間納付税額52,000千円は支払時に販売費及び一般管理費（租税公課）に計上されていた。消費税等については年間納付税額から中間納付税額を差し引いた申告納税額を未払計上する。仮払消費税等と仮受消費税等の相殺残高と年間納税額との差額は、雑収入又は雑損失で処理する。

(2) 当期の法人税等について計算された納付税額の一覧表は次のとおりである。年税額から中

間納付税額を差し引いた納税額を未払計上する。なお、中間納税額は試算表上では全額、法人税等に計上されている。税効果会計上、未払事業税の残高を将来減算一時差異として取り扱う。

納付税額一覧表　　　　　　　　　　　　　　　（単位：千円）

税　　　　目	年　税　額	中間納税額
法　　人　　税	380,005	240,000
住　　民　　税	120,000	48,050
事業税（所　得　割）	55,550	
事業税（付加価値割）	4,300	36,550
事業税（資　本　割）	2,500	

11　配当及び増資に関する事項

　　×3年6月24日に行われた株主総会において、以下の議案が決議された。

×3年6月24日の株主総会決議事項

第一号議案（配当に関する事項）

　配当の財産は金銭とし、一株当たりの配当は100円、財源を繰越利益剰余金とする。

　なお、基準日は×3年3月31日であり、効力発生日は×3年6月24日である。

第二号議案（新株発行に関する事項）

　一株当たりの発行価額は1,500円とし、新株の発行総数は10,000株とする。

　なお、資本金への組入れは会社法が定める最低限度額とする。

第三号議案（減少する資本準備金の額）

　現在の資本準備金の額23,000千円を3,000千円減少し、減少する全額をその他資本剰余金に振替える。

---

(1)　第一号議案について、当社は配当額につき仮払金処理したのみである。なお、準備金の積立限度額は残高試算表の金額を元に行うこととする。

(2)　第二号議案について、当社は払込期日に株式募集のための諸費用を控除した金額14,500千円を仮受金として処理しているのみである。

(3)　第三号議案について、当社は未処理である。

12　税効果会計に関する事項

(1)　決算整理前残高試算表の繰延税金資産は前期末残高である。

(2) 前期及び当期の法定実効税率は40％である。当期に税率の変更があり、翌期以降の法定実効税率は35％となった。

(3) 繰延税金資産の回収可能性について問題はない。

(4) 繰延税金資産及び繰延税金負債の貸借対照表上の表示は、それぞれ繰延税金資産と繰延税金負債を相殺した純額で表示する。

【資料3】

株主資本等変動計算書

株式会社スモモ商事　　　自　×3年4月1日　至　×4年3月31日　　　（単位：千円）

	株主資本							評価・換算差額等
	資本金	資本剰余金		利益剰余金			自己株式	その他有価証券評価差額金
		資本準備金	その他資本剰余金	利益準備金	その他利益剰余金			
					役員退職慰労積立金	繰越利益剰余金		
当期首残高	400,000	23,000	25,000	18,400	30,000	497,210	各自推定	①
当期変動額								
新株発行		②						
準備金の振替								
剰余金の配当						③		
役員退職慰労積立金取崩					④			
当期純利益								
株主資本以外の項目の当期変動額（純額）								
当期変動額合計								
当期末残高								

⇨解答：168ページ

問題
8

問題

問 題 9

問1 【資料1】から【資料3】に基づき、Z株式会社（以下「Z社」という）の第25期（自 ×22年4月1日 至 ×23年3月31日）における貸借対照表及び損益計算書を、会社法及び会社計算規則に準拠して作成しなさい。

問2 製造原価明細書（一部抜粋）を作成しなさい。

問3 【資料3】の「重要な会計方針に係る事項」に関する注記（一部抜粋）の（ イ ）から（ ヘ ）の空欄を埋めて個別注記表を完成させなさい。

解答上の留意事項

　イ　【資料1】の決算整理前残高試算表は、【資料2】に記載されている事項を除き、決算整理は適切に終了している。

　ロ　消費税及び地方消費税（以下「消費税等」という。）の会計処理は、税抜方式による。なお、特に指示のない限り、消費税等について考慮する必要はない。

　ハ　税効果会計は、特に指示のない項目については適用しない。その適用にあたっての法定実効税率は、前期及び当期ともに30％とする。将来減算一時差異に係る繰延税金資産の回収可能性については問題ないものとする。

　ニ　会計処理及び表示方法については、特に指示のない限り原則的な方法によることとし、金額の重要性は考慮しない。

　ホ　解答金額については、【資料1】の決算整理前残高試算表における金額欄の数値のように3桁ごとにカンマで区切ること。また、解答金額がマイナスとなる場合には金額の前に「△」印を付すこと。この方法によっていない場合には正解としない。

　ヘ　計算の過程で生じた千円未満の端数は、計算の都度、四捨五入すること。

　ト　期間配分は、すべて月割計算とする。

【資料1】 Z社の決算整理前残高試算表

残 高 試 算 表

×23年3月31日　　　　　　　（単位：千円）

勘 定 科 目	金 額	勘 定 科 目	金 額
現 金 及 び 預 金	835,688	支 払 手 形	462,440
受 取 手 形	504,850	買 掛 金	716,620
売 掛 金	787,350	未 払 金	202,960
有 価 証 券	176,009	未 払 費 用	12,400
製 品	104,320	賞 与 引 当 金	46,000
仕 掛 品	45,601	貸 倒 引 当 金	34,200
材 料	82,400	仮 受 金	24,000
仮 払 金	106,280	仮 受 消 費 税 等	472,624
仮 払 消 費 税 等	438,967	長 期 借 入 金	53,000
建 物	1,720,000	退 職 給 付 引 当 金	143,000
機 械 装 置	876,000	営 業 保 証 金	40,000
工 具 、 器 具 及 び 備 品	298,000	建 物 減 価 償 却 累 計 額	869,400
土 地	824,868	機械装置減価償却累計額	457,650
ソ フ ト ウ ェ ア	5,600	備 品 等 減 価 償 却 累 計 額	160,920
特 許 権	1,500	資 本 金	100,000
長 期 貸 付 金	80,000	資 本 準 備 金	48,000
長 期 未 収 金	42,000	そ の 他 資 本 剰 余 金	9,000
ゴ ル フ 会 員 権	2,500	利 益 準 備 金	72,000
繰 延 税 金 資 産	86,700	別 途 積 立 金	548,972
材 料 仕 入 高	1,059,200	繰 越 利 益 剰 余 金	1,992,895
労 務 費	625,920	売 上 高	4,726,240
製 造 経 費	559,380	受 取 利 息 及 び 配 当 金	32,520
販 売 費 及 び 一 般 管 理 費	1,904,696	投 資 不 動 産 賃 貸 料	15,600
支 払 利 息	29,360		
法 人 税 等	43,252		
合 計	11,240,441	合 計	11,240,441

問題9

問題

【資料２】　決算整理の未済事項及び参考事項

1　現金及び預金に関する事項

(1) 決算に際し金庫の中を実査した結果、得意先より掛代金の決済として受け取った小切手2,000千円、ＡＡ社からの配当金額収証100千円（うち源泉徴収税額20千円で、配当原資はその他利益剰余金）が発見された。これらに関する記帳処理が行われていない。

(2) カンボジアで代理店を接待するため営業部長に支給した旅費交通費700千円が仮払金で処理されている。営業部長は現在も出張中であり、経費精算書の提出がなされていない。

(3) 現金及び預金の中には32,400千円（300千ドル）の外貨建定期預金が含まれている。預入日は×22年12月1日、満期日は×24年11月30日である。利払日は11月末の年1回であり、利率は年1.2%である。なお、決算日現在の直物為替相場は1ドルあたり110円であった。

2　金銭債権に関する事項

(1) 残高試算表の長期貸付金80,000千円は、ＢＢ社に対する貸付金である。ＢＢ社からの返済はここ数年滞っていたため、同社に対する貸付金の全額を回収不能と判断し、貸倒処理することとした。Ｚ社はＢＢ社所有の土地に抵当権を設定しており、当該権利に基づいて土地を競売にかけ売却代金24,000千円を回収したが仮受金として処理したのみである。貸倒処理にあたって、貸倒引当金の不足額は貸倒損失（特別損失）として処理する。

(2) 残高試算表の長期未収金42,000千円は、当期から取引を開始したＣＣ社に対する未収金である。取引開始日から×24年6月30日まで毎月末均等回収するものであるため、適切に表示する。

(3) ＤＤ社は、×22年10月に二度目の不渡りを発生させ、銀行取引停止処分を受けた。ＤＤ社に対する債権は受取手形2,850千円及び売掛金2,150千円であり、前期は貸倒懸念債権に区分していた。なお、ＤＤ社より2,000千円の定期預金証書を担保として受け入れている。

3　貸倒引当金に関する事項

(1) 金銭債権（受取手形、売掛金及び未収金）を一般債権及び破産更生債権等に区分し貸倒引当金を次のように設定する。繰入れは営業債権と営業外債権の区分に応じて、損益計算書では適切に表示する。なお、繰入れは差額補充法によっており、破産更生債権等に係る費用は特別損失に計上する。残高試算表上の貸倒引当金は前期末残高であり、一般債権に係る金額が5,200千円、ＢＢ社に係る金額が27,500千円、ＤＤ社に係る金額が1,500千円である。税務上、貸倒引当金は全額が一時差異に該当し、税効果会計を適用している。

① 一般債権に対しては、過去の貸倒実績に基づき金銭債権の期末残高の0.5%を貸倒引当金として計上する。

② 破産更生債権等に対しては、金銭債権の金額から担保等処分見込額を控除した後の残額

を貸倒引当金として計上する。

(2) Z社はゴルフ会員権を保有しており、取得価額2,500千円（うち預託金1,500千円）、期末日現在の時価は900千円であるが、回復の見込みはないので、貸倒引当金及び評価損を区分して計上する。税務上、当該処理金額は一時差異に該当し、税効果会計を適用する。

(3) 貸倒引当金の貸借対照表上の表示は、設定対象資産ごとに、それぞれの控除科目として表示する。

4 有価証券に関する事項

残高試算表の有価証券の内訳は以下のとおりである。

（単位：千円）

銘　柄　等	前期末残高		当期末残高		備　　考
	取得原価	時　価	取得原価	時　価	
ＡＡ社株式	24,700	25,200	24,700	24,600	下記(2)参照
ＥＥ社株式	118,000	117,670	118,000	117,690	下記(3)参照
ＦＦ社社債	－	－	29,109	27,500	下記(4)参照
当 社 株 式	－	－	4,200	－	下記(5)参照

(1) 「その他有価証券」の評価は、時価のあるものは時価法（評価差額は全部純資産直入法により処理し、税効果会計を適用する。）、時価のないものは原価法によっている。また、時価が取得原価の50%以上下落した場合には、減損処理を行う。

(2) ＡＡ社株式は、長期保有を目的とした上場株式である。

(3) Z社はＥＥ社の議決権の14%を所有しており、かつ、Z社と意思決定を同じくする当社代表取締役もＥＥ社の議決権の46%を所有している。また、ＥＥ社の取締役会の構成員の総数に占めるZ社役員の割合は90%である。

(4) ＦＦ社社債は、満期まで保有することを目的として×22年4月1日に取得したものである。債券金額は30,000千円、満期日は×26年3月31日で、実効利子率は年2.8%、クーポン利子率は年2.0%、利払日は毎年3月末日の年1回である。利息はすべて入金されており、受取利息及び配当金として適正に処理されている。取得価額と債券金額との差額はすべて金利の調整部分であるため、償却原価法の計算においては利息法により処理する。

(5) ×22年4月21日に取得したもので、取得に際しての付随費用30千円が仮払金に計上されている。

5 棚卸資産に関する事項

(1) 製品、仕掛品及び原材料の評価基準は原価法（貸借対照表価額は収益性の低下による簿価

切下げの方法により算定）によっている。残高試算表の棚卸資産の金額は、前期末残高であり、前期末及び当期末においては収益性の低下による簿価切下げを行っていない。当期末の実地棚卸状況及び未済事項は以下のとおりである。

	帳簿棚卸高			実地棚卸高			備　考
	数　量	単　価	金　額	数　量	単　価		
製　品	3,340個	25,000円	83,500千円	3,280個	25,000円		下記(2)参照
仕掛品	－	－	46,368千円	－	－		下記(3)参照
材　料	11,600kg	3,900円	45,240千円	11,200kg	3,900円		下記(4)参照

(2) 棚卸差異は、×23年3月20日に器具備品として本社へ運び込まれたものが未処理であったためである。当該器具備品は、×23年4月15日より事業の用に供されている。

(3) 仕掛品の帳簿棚卸高における金額には、従来の製品に比較して著しい違いを作り出す製造方法の具体化に係る支出6,000千円が含まれている。当該支出には資産性・原価性がないため、適切に処理する。

(4) 棚卸差異は、正常な範囲の減耗であり、棚卸減耗費として処理する。

6　有形固定資産に関する事項

減価償却の計算は、次に記載されている事項を除き、適切に処理されている。

科　　目	取得原価	期首減価償却累計額	耐用年数	償却方法	備　考
建　物ＧＧ	500,000千円	175,000千円	20年	定額法	下記(3)参照
機械装置ＨＨ	120,000千円	12,500千円	8年	定率法	下記(4)参照
機械装置ＩＩ	200,000千円	152,539千円			下記(5)参照

(1) 残高試算表の製造経費には、減価償却費が382,930千円含まれている。

(2) 定率法は、次の［算式Ⅰ］により計算した金額（以下「調整前償却額」）とする。ただし、調整前償却額が償却保証額（減価償却資産の取得原価にその減価償却資産の耐用年数に応じた保証率を乗じて計算した金額）に満たない場合は、次の［算式Ⅱ］により計算した金額とする。なお、前期まで調整前償却額は償却保証額を上回っており、耐用年数が8年の場合における定率法の償却率は0.250、改定償却率は0.334、保証率は0.07909である。

［算式Ⅰ］

（取得原価　－　減価償却累計額）　×　定率法の償却率

［算式Ⅱ］

調整前償却額が最初に償却保証額に満たなくなる事業年度の期首未償却残高×改定償却率

(3) 建物ＧＧは、販売用店舗で×22年7月1日より遊休状態となっている。減価償却にあたっては残存価額をゼロとし、損益計算書上、適切に表示する。

(4) 機械装置HHは、Z社製品のメッキ加工の下請を専業としているYY社に貸与している設備で、Z社製品の加工作業に必要なものである。

(5) 機械装置ⅠⅠは、Z社工場で使用しているものである。

(6) ×23年3月3日に200,000千円で事業用地の購入契約を締結し、手付金として60,000千円を支払ったが仮払金処理しているのみである。土地の受渡しは×23年5月1日を予定している。

(7) 有形固定資産の貸借対照表上の表示は、減価償却累計額を控除した残額のみを記載する方法をとっている。

7 ソフトウェアに関する事項

残高試算表のソフトウェアの内訳は、以下のとおりである。自社利用目的のソフトウェアは、定額法により利用可能期間の5年で償却する。

(単位：千円)

種　　別	利用開始時期	期首帳簿価額	備　　考
ソフトウェアJJ	×22年4月	100	本社の労務管理のために当期から導入したものであるが、将来の費用削減効果等については不明である。
ソフトウェアKK	×20年3月	2,100	工場の生産管理のために導入されたものであり、これにより将来の費用削減効果が確実に見込まれている。
ソフトウェアLL	制作途中	3,400	顧客管理のために制作中のものである。

8 特許権に関する事項

残高試算表の特許権は、専ら×23年2月1日に取得した新製品NNの研究開発に係るもので、他の目的に転用することができない。

9 借入金に関する事項

(1) 残高試算表の長期借入金は、×22年10月1日に借り入れたものである。×23年9月30日を第一回とし、×27年9月30日まで毎年9月30日に元金均等返済を行い、利息も元金返済時に支払う。利率は年2.6％で、経過利息の会計処理が未済である。

(2) 残高試算表の支払手形のうちには、当期の借入の際に振り出したもの1,300千円が含まれている。当該手形の決済日は×23年6月3日である。

10 従業員賞与に関する事項

(1) 従業員賞与については、×23年6月の夏期賞与（支給対象期間は×22年12月から×23年5月）の支給額が67,500千円と見込まれており、当期に負担すべき金額を賞与引当金に計上する。当期の繰入額の工場、本社への配賦割合は5：5とする。税務上、当該処理金額は一時差異に該当し、税効果会計を適用する。

(2) 残高試算表の賞与引当金勘定は前期末残高であり、×22年6月の支給額は当期繰入額と同じ比率で労務費、販売費及び一般管理費に支払賞与として費用計上している。

11 役員賞与引当金に関する事項

×23年6月に支給予定の役員賞与に備えるため、株主総会の決議により36,000千円を支給する旨の決議が行われ、同額を引当計上する。なお、繰入額は販売費及び一般管理費に計上すること。税務上、役員賞与引当金は一時差異に該当し、税効果会計を適用する。

12 退職給付引当金に関する事項

Z社は、確定給付型の退職一時金制度及び企業年金制度を採用しており、退職給付に係る当期の資料は以下のとおりである。なお、退職給付費用に係る計算は未了である。

（単位：千円）

	前期末	当期末
① 退職給付債務	△ 287,000	△ 296,540
② 年金資産	139,000	各自推定
③ 未積立退職給付債務（①＋②）	△ 148,000	各自推定
④ 未認識数理計算上の差異	35,000 （借方差異）	28,000 （借方差異）
⑤ 未認識過去勤務費用	各自推定	各自推定
⑥ 退職給付引当金（③＋④＋⑤）	△ 143,000	各自推定

(1) 割引率は3％、長期期待運用収益率は年6％である。

(2) 当期の年金資産からの年金給付支払額は11,000千円である。

(3) 当期の掛金拠出額23,000千円及び当社から直接支払われた退職金5,000千円が仮払金処理されている。

(4) 数理計算上の差異は発生年度の翌期より費用処理しているが、当期において、年金資産の実際運用収益率が長期期待運用収益率を上回ったため数理計算上の差異が1,200千円発生し、退職給付債務から数理計算上の差異が240千円（借方差異）発生している。

(5) 過去勤務費用はすべて前期期首に発生したものであり、発生年度より16年の定額法で費用

処理している。当期中に新たに発生した過去勤務費用はない。

(6) 工場、本社への配賦割合は5：5とする。

(7) 税務上、退職給付引当金は一時差異に該当し、税効果会計を適用している。

13　諸税金に関する事項

(1) 各税目とも前期末未払計上額と納付額に過不足はなかった。

(2) 当期の確定年税額（中間納付税額及び源泉徴収税額控除前）は法人税及び住民税が75,059千円、事業税が22,180千円である。

(3) 残高試算表の法人税等勘定には、法人税及び住民税の中間納付額32,662千円、事業税の中間納付額9,550千円、源泉徴収された所得税1,040千円が計上されている。

(4) 当期の消費税等の確定年税額は33,670千円であり、消費税等の中間納付税額17,550千円は仮払金に計上されている。消費税等については、確定納付税額を未払消費税等に計上し、仮払消費税等と仮受消費税等の相殺残高との差額があれば、販売費及び一般管理費（租税公課）で処理する。

(5) 税務上、事業税の未払計上額は一時差異に該当し、税効果会計を適用している。

14　税効果に関する事項

繰延税金資産及び繰延税金負債の貸借対照表上の表示は、繰延税金資産と繰延税金負債を相殺した純額で表示するものとする。

問題
9

問題

【資料３】 「重要な会計方針に係る事項」に関する注記(一部抜粋)

1 資産の評価基準及び評価方法は、以下のとおりです。

(1) 有価証券の評価基準及び評価方法

関係会社株式……移動平均法による(イ)

その他有価証券

時価のあるもの…期末日の市場価格等に基づく(ロ)

(評価差額は(ハ)により処理している)

時価のないもの…移動平均法による(イ)

2 固定資産の減価償却の方法

(1) 有形固定資産

定率法(ただし、建物については定額法)を採用しております。

(2) 無形固定資産

(ニ)を採用しております。

3 引当金の計上基準

(1) 退職給付引当金は従業員の退職給付に備えるため、以下のとおり計上しております。

退職給付引当金は、期末の退職給付債務及び(ホ)の見込額に基づき計上。

数理計算上の差異は、(ヘ)から定額法（期間各自推定）により費用処理。

過去勤務費用は、定額法（期間16年間）で費用処理。

⇨解答：184ページ

問題 10

問1　【資料1】、【資料2】及び【資料3】に基づき、乙商事株式会社（以下「当社」という。）の第30期（自X2020年4月1日　至X2021年3月31日）における会社法及び会社計算規則に準拠した貸借対照表及び損益計算書について、答案用紙の〔　　〕には区分、項目又は名称を記入し、（　　）には金額を記入して完成させなさい。

問2　【資料3】の乙商事株式会社の第30期の株主資本等変動計算書の空欄①から④の金額を求めなさい。

解答上の留意事項

イ　【資料1】の決算整理前残高試算表は、【資料2】に記載されている事項を除き、決算整理処理が適正に終了している。

ロ　消費税及び地方消費税（以下「消費税等」という。）の会計処理は税抜方式による。なお、特に指示のない限り、消費税等について考慮する必要はないものとする。

ハ　税効果会計は特に指示のない項目には適用しない。また、その適用に際しての法定実効税率は、前期・当期ともに40％とする。税務上の処理との差額は一時差異に該当し、繰延税金資産の回収可能性について問題はないものとする。

ニ　会計処理及び表示方法については、特に指示のない限り原則的方法によることとし、金額の重要性は考慮しないものとする。

ホ　解答金額については、【資料1】の決算整理前残高試算表における金額欄の数値のように3桁ごとにカンマで区切り、解答金額がマイナスとなる場合には金額の前に「△」を付すこと。この方法によっていない場合には正解としないので注意すること。

ヘ　計算の過程で生じた千円未満の端数は、単価の計算を除き、百円の位で四捨五入すること。

ト　日数の計算はすべて月割計算とする。なお、1ヶ月未満の端数は切り上げて1ヶ月として計算すること。

チ　問題文に特段の指示がない限り、過去の誤謬の訂正に該当するものはないものとする。

【資料１】乙商事株式会社の決算整理前残高試算表

決算整理前残高試算表
X2021年３月31日現在 （単位：千円）

勘定科目	金額	勘定科目	金額
現　　　　　　金	2,950	買　　掛　　金	297,670
当　座　預　金	33,500	借　　入　　金	77,400
普　通　預　金	32,800	貸　倒　引　当　金	6,390
定　期　預　金	31,500	賞　与　引　当　金	20,000
受　取　手　形	60,800	未　　払　　金	44,900
売　　掛　　金	256,000	預　　り　　金	33,600
有　価　証　券	26,740	未　払　費　用	47,200
商　　　　　品	240,000	仮　　受　　金	6,860
貯　　　蔵　　品	9,600	仮　受　消　費　税　等	339,200
繰　延　税　金　資　産	24,156	退　職　給　付　引　当　金	28,800
仮　　払　　金	8,250	建物減価償却累計額	92,810
仮　払　消　費　税　等	320,000	車両減価償却累計額	2,775
の　　れ　　ん	280,000	資　　本　　金	108,000
建　　　　　物	102,880	資　本　準　備　金	9,100
車　　　　　両	10,100	その他資本剰余金	2,120
土　　　　　地	39,174	利　益　準　備　金	17,600
建　設　仮　勘　定	25,000	繰　越　利　益　剰　余　金	181,710
ソ　フ　ト　ウ　ェ　ア	20,100	その他有価証券評価差額金	540
差　入　保　証　金	2,000	売　　上　　高	4,363,200
開　　発　　費	19,200	受　取　利　息	1,020
商　品　仕　入　高	3,626,400	受　取　配　当　金	180
販売費及び一般管理費	492,185	有　価　証　券　利　息	40
支　払　利　息	785	国　庫　補　助　金　収　入	2,000
雑　　損　　失	2,000	雑　　収　　入	1,400
法　人　税　等	18,395		
合　　　計	5,684,515	合　　　計	5,684,515

【資料２】決算整理の未済事項及び参考資料

1　現金預金に関する事項

(1)　期末日において本社の金庫には、次のものが保管されていた。

内　　容	金　　額	備　　考
紙　幣　及　び　硬　貨	310千円	－
他人振出の当座小切手	240千円	売掛金の回収として受け取ったA銀行の当座小切手である。
配　当　金　領　収　証	600千円	その他利益剰余金からの配当金600千円（うち源泉徴収税額90千円）をG社より受けたが未処理である。

(2)　各営業所からの現金有高報告書における期末日残高の合計額は2,400千円である。

(3)　B銀行の当座預金の帳簿残高は15,000千円であるが、銀行残高証明書の金額は16,500千円であった。差額の原因は、仕入先に振り出した小切手の未取付分2,000千円及び販売費及び一般管理費（水道光熱費）の自動引落分500千円の未記帳分であった。

(4)　普通預金の帳簿残高は32,800千円であるが、銀行残高証明書の金額は32,000千円であった。差額の原因は、千葉営業所の賃借に伴って差入保証金を支払っていたが、これが未処理であることが判明した。

(5)　決算整理前残高試算表の定期預金は、すべて X2020年10月１日に預け入れた外貨建定期預金である。当該定期預金の預入金額は300千ドル、利率は年１％、利払日は毎年９月末日の年１回、預入期間は２年間であり、経過利息の会計処理は未了である。なお、X2021年３月31日における為替レートは110円／ドルとする。

2　受取手形及び売掛金に関する事項

(1)　得意先C社に対する売掛金の残高確認の結果、当社の帳簿残高が1,200千円過少であった。その原因を調査したところ、すべて当社の掛売上の計上漏れであることが判明した。なお、商品の受払記録は適正に行われている。

(2)　支払遅延の発生している得意先D社とは X2020年11月から現金販売のみを行っている。現金販売に切り換えた時点でのD社に対する売上債権9,000千円については、X2021年１月31日期日の手形を受け取っていたが、D社の要請で X2021年７月31日期日の手形に差し替えた。なお、D社は経営破綻の状態には至っていないが、債務の弁済に重大な問題が生じる可能性の高い債務者に該当する。

(3)　得意先E社に対する債権は前期において貸倒懸念債権に区分し、取引を停止していたが、E社はX2021年１月に２度目の不渡りを発生させ、銀行取引停止処分となっている。E社に対

する債権残高は受取手形8,000千円及び売掛金3,000千円であり、1年以内の回収は困難と見込まれている。なお、E社から3,000千円の定期預金証書を担保として入手している。

3　貸倒引当金に関する事項

(1) 当社は、営業債権（受取手形及び売掛金）を一般債権、貸倒懸念債権及び破産更生債権等に区分して貸倒引当金を設定している。一般債権については、過去の貸倒実績率に基づいて受取手形及び売掛金の期末残高の1％を引当計上する。貸倒懸念債権については、債権総額から担保の処分見込額等を控除した残額の50％相当額を引当計上する。破産更生債権等については、債権総額から担保の処分見込額等を控除した残額を引当計上する。

(2) 貸倒引当金の貸借対照表上の表示は、流動資産の部及び固定資産の部の末尾にそれぞれ一括して控除科目として表示する。なお、繰入れは差額補充法によることとし、破産更生債権等に係るものは特別損益の部に表示する。

(3) 決算整理前残高試算表の貸倒引当金は、一般債権に係る額2,390千円（得意先D社に係る額90千円を含む。）及び得意先E社に係る額4,000千円の合計額である。

(4) 税務上、貸倒引当金は全額が損金として認められないため、税効果会計を適用する。

4　有価証券に関する事項

有価証券の内訳は次のとおりである。

銘　柄	取得原価	前期末時価	当期末時価	備　考
F社株式	8,000千円	3,600千円	4,100千円	上場株式。下記(4)①参照
G社株式	3,900千円	4,600千円	4,800千円	上場株式。下記(4)②参照
H社株式	12,400千円	12,600千円	9,000千円	上場株式。下記(4)③参照
I社社債	3,840千円	－	3,900千円	上場社債。下記(4)④参照
自己株式	2,100千円	－	－	非上場株式。下記(4)⑤参照

(1) 子会社・関連会社株式に該当するもの、I社社債及び自己株式以外は「その他有価証券」に該当する。なお、I社社債は「満期保有目的の債券」に該当する。

(2) 「その他有価証券」の評価は、時価のあるものは時価法（評価差額は全部純資産直入法で処理し、税効果会計を適用する。売却原価は移動平均法により算定する。）、時価のないものは原価法によっている。また、時価が取得原価の50％以上下落した場合には、時価が取得原価まで回復する見込みがないものとして減損処理を行う。なお、減損処理は税務上も全額が損金として認められるものとする。

(3) 決算整理前残高試算表のその他有価証券評価差額金は前期末残高である。

(4) 上記の有価証券の備考の内容は次のとおりである。

① 当社はF社の議決権の6％を所有しており、当社の役員（緊密な者）が15％を所有している。なお、当社はF社の重要な販売先である。

② 当社はG社の議決権の15％を所有している。

③ H社株式は、余剰資金の運用のために、前期において200株を12,400千円で購入したものであるが、当期において新たに50株を3,000千円で購入し、その後、株価の下落が予想されたため、100株を6,200千円で売却している。当社は購入及び売却について、購入代金を仮払金で処理し、売却代金を仮受金で処理しているのみである。上記表中の前期末時価及び当期末時価は前期末保有株式数（200株）及び当期末保有株式数（150株）に対応する金額である。

なお、H社株式の売却損益には臨時性が認められるものとし、購入及び売却に伴う付随費用は考慮しないものとする。前期及び当期におけるH社の議決権の所有割合はいずれも5％未満である。

④ I社社債は、X2020年10月1日に発行と同時に取得したものである。債券金額は4,000千円、満期日はX2025年9月30日、実効利子率は年2.86％、クーポン利子率は年2.00％、利払日は毎年3月末日及び9月末日の年2回である。取得価額と債券金額の差額は、すべて金利の調整差額であり、償却原価の計算は利息法により行う。なお、クーポン利息は利払日にすべて入金されており、適正に処理されている。

⑤ 自己株式は、X2020年4月において2,000株を2,100千円で買い取ったものである。X2020年11月に600株を660千円で売却しているが、当社は売却代金を仮受金で処理しているのみである。また、X2021年4月に400株を460千円で売却し、同月中に引渡し及び入金がなされている。なお、売却に伴う付随費用は考慮しないものとする。

5 棚卸資産に関する事項

商品の期末棚卸高の内訳は次のとおりである。

	帳簿棚卸高		実地棚卸高			備　考
	数　量	原　価	数　量	売　価	見積販売直接経費	
J商品	6,200個	6,600円／個	6,180個	8,400円／個	600円／個	下記(3)参照
K商品	8,600個	12,000円／個	8,200個	11,700円／個	900円／個	下記(4)参照
L商品	4,950個	8,900円／個	4,950個	9,600円／個	800円／個	下記(5)参照
貯蔵品	—		8,640千円（期末手許残高）			下記(6)参照

(1) 決算整理前残高試算表の商品及び貯蔵品は前期末残高である。

(2) 商品は期別総平均法による原価法（収益性の低下による簿価切下げの方法）により評価しており、上記の帳簿棚卸高の1個あたりの原価は、上記2(1)の掛売上の計上漏れ分を含めて、

期別総平均法により適正に計算されたものである。

(3) J商品の棚卸差異は原因が不明であるため、商品減耗損として売上原価に計上する。

(4) K商品の棚卸差異は見本品として提供していたことが判明したため、販売費及び一般管理費（広告宣伝費）に振替計上する。

(5) L商品のうち100個については、品質不良が生じていることが判明したため、商品評価損として特別損失に計上する。なお、当該不良品の処分見込価額は200円／個である。

(6) 貯蔵品は梱包資材、事務用品、郵便切手及び収入印紙である。当社はこれらの貯蔵品について購入時に販売費及び一般管理費で処理し、期末手許残高を販売費及び一般管理費からマイナスするとともに貯蔵品として計上する方法を採用している。

6　有形固定資産に関する事項

減価償却費の計算は、次の(1)及び(2)に記載されている事項を除き、適正に処理されている。

(1) 決算整理前残高試算表の建設仮勘定のうちには、当期首に行われた習志野営業所の大規模な改修工事に係る支出額15,000千円が含まれている。当該工事により耐用年数が5年延長すると見積られたため、当期の減価償却費の計算（既存の建物の減価償却費の計算を含む。）は、改修後の残存耐用年数に基づいて行う。当該工事に係る支出額のうち、延長された耐用年数に対応する部分は資本的支出として処理し、残額は収益的支出に該当するものとして販売費及び一般管理費（修繕費）に計上する。なお、習志野営業所の減価償却費の計算は、既存の建物の減価償却費の計算を含めて未了である。

習志野営業所の減価償却費の計算は、次の算式にしたがって計算するものとする。

既存分：（期首未償却残高－残存価額）÷改修後の残存耐用年数

資本的支出分：資本的支出額×0.9÷改修後の残存耐用年数

習志野営業所の減価償却費の計算に関する資料は次のとおりである。

取得原価	償却方法	耐用年数	残存価額	事業供用日
100,000千円	定額法	30年	取得原価の10%	X2000年4月1日

(2) X2021年3月1日に器具備品につきリース契約（ファイナンス・リース取引に該当する。）を締結し、同日より事業の用に供している。当該リース取引の契約内容等は次のとおりである。

① 解約不能のリース期間：4年

② リース物件（機械装置）の経済的耐用年数：5年

③ リース料は月額1,250千円（リース料総額60,000千円）である。リース料の支払は、X2021年3月31日を第1回とする毎月末払であり、支払済リース料は仮払金で処理している。

④ 所有権移転条項及び割安購入選択権はともになく、リース物件は特別仕様ではない。

⑤ 当社の見積現金購入価額及びリース料総額の割引現在価値は59,040千円及び57,120千円である。

⑥　当社は貸手の計算利子率は知り得ない。当社の追加借入に適用されると合理的に見積られる利率は年2.0%である。

⑦　リース資産及びリース債務を算定するにあたっては、リース料総額からこれに含まれている利息相当額の合理的な見積額を控除する。なお、利息相当額についてはリース期間の各期にわたり定額で配分する方法により配分することとする。

⑧　リース資産は残存価額をゼロ、耐用年数をリース期間とする定額法で減価償却を行う。リース資産は有形固定資産の区分に一括して「リース資産」として表示するものとする。

（3）有形固定資産の貸借対照表上の表示は、取得原価から減価償却累計額を控除した残額のみを表示する方法による。

7　ソフトウェアに関する事項

決算整理前残高試算表のソフトウェアの内訳は次のとおりであり、償却費の計算は未了である。いずれも社内利用目的のソフトウェアであり、将来の費用削減効果が確実と認められる。償却費の計算は5年間で定額法により行う。

システム	利用開始時期	帳簿価額	備　考
在庫管理	X2018年2月	6,800千円	営業所で在庫管理に使用。
事務管理	X2020年4月	13,300千円	本社で事務管理に使用。なお、帳簿価額には、当社の仕様にあわせるための修正作業費用200千円及び操作研修のためのテキスト代100千円が含まれている。

8　借入金に関する事項

決算整理前残高試算表の借入金の内訳は次のとおりである。元金の返済及び利息の支払いは滞りなく行われており、適正に処理されている。なお、経過利息の会計処理は未了である。

借入先	帳簿価額	備　考
A銀行	32,400千円	X2020年10月1日に借り入れたもの（当初借入額36,000千円）。X2020年10月31日を初回とし、毎月末に元金均等返済を行っており、利息（金利：年2％）も元金返済日に支払っている。
B銀行	45,000千円	X2020年5月1日に借り入れたもの（当初借入額50,000千円）。X2020年10月31日を初回とし、毎年10月末日と4月末日に元金均等返済を行っており、利息（金利：年2％）も元金返済日に支払っている。

9 退職給付引当金に関する事項

　　決算整理前残高試算表の退職給付引当金は前期末残高である。当社は確定給付型の企業年金制度を採用しており、第15期から「退職給付に関する会計基準」の原則法により退職給付の会計処理を行っている。

　　退職給付の計算に関する資料は次のとおりである。

	前期末残高	当期末残高
①　退職給付債務	△192,000千円	△195,040千円
②　年金資産	160,000千円	各自推定
③　未積立退職給付債務（①＋②）	△32,000千円	各自推定
④　未認識数理計算上の差異	24,000千円	19,200千円
⑤　未認識過去勤務費用	△20,800千円	各自推定
⑥　退職給付引当金（③＋④＋⑤）	△28,800千円	各自推定

(1) 割引率は年2％、長期期待運用収益率は年4％である。

(2) 当期の年金資産からの年金給付支払額は8,000千円である。

(3) 当期の掛金拠出額は16,000千円であり、販売費及び一般管理費（退職給付費用）で処理されている。

(4) 数理計算上の差異は発生年度の翌年度から費用処理しているが、当期において年金資産の実際運用収益率が長期期待運用収益率を上回ったため、数理計算上の差異が1,600千円発生した。当期中にこれ以外に発生した数理計算上の差異はないものとする。

(5) 過去勤務費用はすべて前期期首に発生したものであり、発生年度から14年の定額法で費用処理している。当期中に新たに発生した過去勤務費用はないものとする。

(6) 会計基準変更時差異は適用初年度（第15期首）に一括費用処理を行っている。

(7) 税務上、退職給付引当金は全額が損金として認められないため、税効果会計を適用する。

10 従業員賞与に関する事項

　　従業員賞与については、X2021年6月の夏季賞与の支給額が26,400千円と見込まれているため、支給対象期間（11月1日から4月30日）のうち当期に負担すべき金額を賞与引当金として計上する。なお、決算整理前残高試算表の賞与引当金は前期末残高であり、X2020年6月の支給額は販売費及び一般管理費（従業員賞与）として計上している。

　　税務上、賞与引当金は全額が損金として認められないため、税効果会計を適用する。

11 諸税金に関する事項

(1) 各税目とも前期末未払計上額と納付額に過不足はなかった。

（2）当期の確定年税額（中間納付税額及び源泉徴収税額控除前）は、法人税及び住民税が38,430千円及び事業税が9,605千円（付加価値割及び資本割により算定された税額2,440千円を含む。）である。

（3）決算整理前残高試算表の法人税等には、法人税及び住民税の中間納付税額14,655千円、事業税の中間納付税額3,660千円（付加価値割及び資本割により算定された税額960千円を含む。）及び源泉徴収された所得税80千円が計上されている。

（4）税務上、事業税の未払計上額は損金として認められないため、税効果会計を適用する。

12　剰余金の処分に関する事項

　　X2020年6月28日に開催された定時株主総会で次の内容の剰余金の処分（剰余金の配当）が承認されているが、当社は配当金の支払額を仮払金として処理したのみである。

（1）配当財産の種類　　金銭とする

（2）配当総額　　　　　4,000千円

（3）配当財源　　　　　繰越利益剰余金から3,000千円及びその他資本剰余金から1,000千円

（4）配当の効力が生じる日　　X2020年6月29日

13　税効果会計に関する事項

　　繰延税金資産及び繰延税金負債の貸借対照表上の表示は、固定項目においてそれぞれ繰延税金資産及び繰延税金負債を相殺した純額で表示する。

14　その他の事項

（1）決算整理前残高試算表ののれんは、X2020年7月1日に取得したものであり、5年間で定額法により償却する。

（2）決算整理前残高試算表の開発費は、X2020年8月1日に特別に支出した新市場の開拓のための費用であり、会社法に基づく最長期間で定額法により償却する。

【資料3】 乙商事株式会社の第30期の株主資本等変動計算書

(単位：千円)

	株主資本						評価・換算差額等
	資本金	資本剰余金		利益剰余金		自己株式	その他有価証券評価差額金
		資本準備金	その他資本剰余金	利益準備金	繰越利益剰余金		
当期首残高	108,000	9,100	2,120	17,600	181,710	0	540
当期変動額							
剰余金の配当		( )	(①)	( )	( )		
自己株式の取得						(③)	
自己株式の処分			(②)			( )	
当期純利益					( )		
株主資本以外の項目の当期変動額(純額)							(④)
当期変動額合計	( )	( )	( )	( )	( )	( )	( )
当期末残高	( )	( )	( )	( )	( )	( )	( )

⇨解答：200ページ

解答編

問1

損　益　計　算　書

○株式会社　　　　　自×5年4月1日　至×6年3月31日　　　　　（単位：千円）

摘　　　要		金	額
Ⅰ　売　　上　　高			786,000
Ⅱ　売　上　原　価			
期首商品棚卸高		37,400	
当期商品仕入高		425,800	
合　　　計		463,200	
見本品費振替高	①	400	
期末商品棚卸高	①	30,500	
差　　　引		432,300	
商　品　評　価　損	①	1,800	434,100
売　上　総　利　益			351,900
Ⅲ　販売費及び一般管理費			
給　料　手　当		62,350	
旅　費　交　通　費	①	7,550	
福　利　厚　生　費		12,670	
見　本　品　費	①	400	
貸倒引当金繰入額	①	2,080	
租　税　公　課		7,130	
退　職　給　付　費　用	①	7,509	
減　価　償　却　費	①	12,650	
商　標　権　償　却	①	1,000	
開　発　費　償　却	①	500	113,839
営　業　利　益			238,061
Ⅳ　営　業　外　収　益			
受　取　利　息	①	950	
有　価　証　券　利　息	①	150	
受　取　配　当　金	①	550	1,650

（次頁に続く）

V 営 業 外 費 用		
支 払 利 息	7,400	
有 価 証 券 売 却 損	200	7,600
経 常 利 益		232,111
VI 特 別 利 益		
固 定 資 産 売 却 益	150,000	150,000
VII 特 別 損 失		
固 定 資 産 災 害 損 失	[1] 54,500	
貸 倒 引 当 金 繰 入 額	[1] 72,000	126,500
税 引 前 当 期 純 利 益		255,611
法人税、住民税及び事業税		[1] 74,760
当 期 純 利 益		180,851

貸借対照表等に関する注記

(1) 土地のうち30,000千円を長期借入金の担保に供している。[1]

(2) 有形固定資産から減価償却累計額182,840千円が控除されている。[1]

問2

貸 借 対 照 表

B株式会社　　　　　　　　　　　×6年5月31日　　　　　　　　　　（単位：千円）

科　　　目	金　　額	科　　　目	金　　額
資 産 の 部		負 債 の 部	
I 流 動 資 産	（　457,600）	I 流 動 負 債	（　529,680）
現 金 及 び 預 金	① 45,000	支 払 手 形	50,000
受 取 手 形	245,000	買 掛 金	① 99,500
貸 倒 引 当 金	① △ 4,900	短 期 借 入 金	① 50,000
売 掛 金	100,000	1年以内返済長期借入金	① 30,000
貸 倒 引 当 金	① △ 2,000	1年以内償還社債	① 5,000
有 価 証 券	① 10,000	未 払 金	① 60
商 品	① 57,000	未 払 法 人 税 等	① 250,000
短 期 貸 付 金	① 1,000	賞 与 引 当 金	① 40,000
立 替 金	① 5,000	修 繕 引 当 金	① 5,000
前 払 費 用	① 1,500	保 証 債 務	① 120
II 固 定 資 産	（　877,650）	II 固 定 負 債	（　201,000）
1．有 形 固 定 資 産	（　483,650）	社 債	① 100,000
建 物	① 151,000	退 職 給 付 引 当 金	① 101,000
備 品	① 16,250	負 債 の 部 合 計	730,680
土 地	316,400	純 資 産 の 部	
2．無 形 固 定 資 産	（　2,000）	I 株 主 資 本	（　620,170）
権 利 金	① 2,000	1．資 本 金	150,000
3．投資その他の資産	（　392,000）	2．新株式申込証拠金	① 24,000
投 資 有 価 証 券	① 49,000	3．資 本 剰 余 金	（　20,000）
関 係 会 社 株 式	① 70,000	(1) 資 本 準 備 金	20,000
長 期 預 金	① 40,000	4．利 益 剰 余 金	（　426,170）
長 期 貸 付 金	① 226,500	(1) 利 益 準 備 金	10,000
差 入 保 証 金	2,500	(2) その他利益剰余金	（　416,170）
長 期 前 払 費 用	① 1,500	新 築 積 立 金	10,000
破 産 更 生 債 権 等	5,000	減 債 積 立 金	10,000
貸 倒 引 当 金	① △ 2,500	役員退職慰労積立金	5,000

（次頁に続く）

Ⅲ　繰　延　資　産		（　　　　15,600）	別　途　積　立　金		20,000
社　債　発　行　費	①	13,500	繰越利益剰余金	①	371,170
株　式　交　付　費	①	2,100	純　資　産　の　部　合　計		620,170
資　産　の　部　合　計		1,350,850	負債及び純資産の部合計		1,350,850

【配　点】　①×50カ所　　合計50点

解答への道 （仕訳の単位：千円）

問1

1. 商 品

（期首商品棚卸高）	37,400	（商　　　　品）	37,400
（当期商品仕入高）	425,800	（仕　　　　入）	425,800
（見 本 品 費）	400	（見 本 品 費 振 替 高）	400
（商 品 評 価 損） ＊	1,800	（期 末 商 品 棚 卸 高）	30,500
＜売上原価の内訳＞			
（商　　　　品）	28,700		

＊　3,000千円－1,200千円＝1,800千円

2. 受取利息その他

（法人税、住民税及び事業税）	330	（受 取 利 息）	220
		（受 取 配 当 金）	110
（法人税、住民税及び事業税）	30	（有 価 証 券 利 息）	30

3. 仮払金

(1) 法人税等の中間納付額

（法人税、住民税及び事業税）＊	29,290	（仮　　 払　　 金）	29,290

＊　<u>17,620千円</u>＋<u>8,220千円</u>＋<u>3,450千円</u>＝29,290千円
　　　法人税　　　住民税　　　事業税

(2) 出張旅費

（旅 費 交 通 費）	450	（仮　　 払　　 金）	600
（仮 払 旅 費 交 通 費）	150		

4. 有形固定資産

(1) 建 物

（減 価 償 却 費）	3,350	（固 定 資 産 災 害 損 失）	51,350
（未　 収　 金）	48,000		

(2) 減価償却費

（減 価 償 却 費）	9,300	（減 価 償 却 累 計 額）	9,300

注記　減価償却累計額の直接控除一括注記法につき貸借対照表等に関する注記が必要となる。

　　減価償却累計額：<u>173,540千円</u>＋<u>9,300千円</u>＝182,840千円
　　　　　　　　　　　　試算表　　　　当期分

5．商標権

（商　標　権　償　却）	＊	1,000	（商　標　　　権）	1,000

＊　$10,000千円 \times \dfrac{12カ月}{10年 \times 12カ月} = 1,000千円$

6．開発費

（開　発　費　償　却）	＊	500	（開　発　　　費）	500

＊　$2,000千円 \times \dfrac{12カ月}{5年 \times 12カ月 - 12カ月} = 500千円$

7．破産更生債権等

（破産更生債権等）	72,000	（受　取　手　形）	50,000
		（売　　掛　　金）	22,000
（貸倒引当金繰入額） ＊ 72,000		（貸　倒　引　当　金）	72,000

＊　問題文の指示により、特別損失の区分に計上する。

8．貸倒引当金

（貸　倒　引　当　金）	1,270	（貸倒引当金戻入額）	1,270
（貸倒引当金繰入額） ＊	3,350	（貸　倒　引　当　金）	3,350

＊　$\{(\underline{250,000千円 - 50,000千円}) + (\underline{157,000千円 - 22,000千円})\} \times 1\％ = 3,350千円$
　　　　　　　受取手形　　　　　　　　　　　　売掛金

※　P/L（販売費）計上額：3,350千円 － 1,270千円 ＝ 2,080千円

9．退職給付引当金

（退　職　給　付　費　用）	＊	7,509	（退　職　給　付　引　当　金）	7,509

＊　$\underline{26,749千円} - \underline{19,240千円} = 7,509千円$
　　B/S 計上額　　試算表

※　問題文に貸借対照表上26,749円計上すると記載があるため、26,749円がB/S計上額となる。

10．担保提供資産

注記　担保提供資産につき貸借対照表等に関する注記が必要となる。

11．未払税金

（法人税、住民税及び事業税）	＊	45,110	（未　払　法　人　税　等）	45,110

＊　$\underline{23,220千円} + \underline{15,540千円} + \underline{6,350千円} = 45,110千円$
　　法人税　　　　住民税　　　事業税

問2

1．現　金

（保　　険　　料）＊	1,500	（現　　　　　金）	20,000
（前　払　費　用）＊	1,500		
（長 期 前 払 費 用）＊	1,500		
（買　　掛　　金）	500		
（現 金 及 び 預 金）	15,000		

$$＊\quad 4,500千円 \times \frac{1年}{3年} ＝ 1,500千円$$

2．定期積金

（現 金 及 び 預 金）	30,000	（定　期　積　金）	30,000

当期末までの積立回数 30,000千円 ÷ 1,000千円 ＝ 30回
試算表

残りの積立回数　36回 － 30回 ＝ 6回　　　∴　短　期

3．定期預金

（長　期　預　金）	40,000	（定　期　預　金）	40,000

4．受取手形

（破 産 更 生 債 権 等）	5,000	（受　取　手　形）	5,000
（貸倒引当金繰入額）＊	2,500	（貸　倒　引　当　金）	2,500
（手　形　売　却　損）	120	（保　証　債　務）	120

＊　5,000千円 － 2,500千円 ＝ 2,500千円

5．商　品

（期 首 商 品 棚 卸 高）	50,000	（商　　　　　品）	50,000
（商　　　　　品）	57,000	（期 末 商 品 棚 卸 高）	60,000
（商　品　評　価　損）＊	3,000		
＜売上原価の内訳＞			

＊　5,000千円 － 2,000千円 ＝ 3,000千円

6．有価証券

（1）　K株式会社株式

（投 資 有 価 証 券）	49,000	（有　価　証　券）	49,000

（2）　O株式会社株式

（関 係 会 社 株 式）	70,000	（有　価　証　券）	70,000

（3）　T株式会社株式

（有　価　証　券） ＜流　動　資　産＞	10,000	（有　価　証　券） ＜試　　算　　表＞	10,000

7．貸付金

（1）従業員貸付分

（短　期　貸　付　金）	*1	1,000	（貸　付　金）		2,500
（長　期　貸　付　金）	*2	1,500			

＊1　500千円×2回＝1,000千円

＊2　2,500千円－1,000千円＝1,500千円

（2）その他

（長　期　貸　付　金）	＊	225,000	（貸　付　金）	225,000

＊　<u>227,500千円</u>－<u>2,500千円</u>＝225,000千円
　　　試算表　　　　従業員分

8．仮払金

（1）旅費交通費

（旅　費　交　通　費）		400	（仮　払　金）		340
			（未　払　金）	＊	60

＊　5月30日に出張報告が出されており、金額はこの時点で確定しているため、不足額60千円を未払金として計上する。

（2）法人税等の中間納付額

（法人税、住民税及び事業税）	＊	250,000	（仮　払　金）	250,000

＊　<u>200,000千円</u>＋<u>50,000千円</u>＝250,000千円
　　法人税・住民税　　事業税

（3）立替金

（立　　替　　金）	5,000	（仮　払　金）	5,000

9．減価償却

（減　価　償　却　費）	9,000	（建　　　　　物）	9,000
（減　価　償　却　費）	11,250	（備　　　　　品）	11,250

10．権利金

（差　入　保　証　金）		2,500	（権　利　金）<試　算　表>		5,000
（権　利　金）<無　形　固　定　資　産>		2,500			
（権　利　金　償　却）	＊	500	（権　利　金）		500

＊　2,500千円× $\dfrac{12カ月}{5年×12カ月}$ ＝500千円

11. 繰延資産

（社 債 発 行 費 償 却）	＊	1,500	（社 債 発 行 費）	1,500

$$＊\quad 15,000千円 \times \frac{6カ月}{12カ月 \times 5年} ＝1,500千円$$

12. 社 債

（社　　　　　債）	5,000	（1 年 以 内 償 還 社 債）	5,000

13. 借入金

（借　　入　　金）	80,000	（短 期 借 入 金）	50,000
		（1年以内返済長期借入金）	30,000

14. 仮受金

（仮　　受　　金）	21,900	（新 株 式 申 込 証 拠 金）	24,000
（株 式 交 付 費）＊	2,100		
＜繰　延　資　産＞			

＊　株式交付費の償却は「株式交付の後」であることから、当期は償却しない。

15. 引当金

(1) 貸倒引当金

（貸 倒 引 当 金）		8,000	（貸 倒 引 当 金 戻 入 額）	8,000
（貸 倒 引 当 金 繰 入 額）	＊	6,900	（貸 倒 引 当 金）	6,900

＊① 受 取 手 形：(250,000千円－5,000千円)×2％＝4,900千円
　　　　　　　　　　　試算表　　　破産更生債権等

② 売 　掛　 金：100,000千円×2％＝2,000千円

③ 貸倒引当金繰入額：①＋②＝6,900千円

(2) 退職給付引当金

（退 職 給 付 費 用）	1,000	（退 職 給 付 引 当 金）	1,000

＊　引当金を繰り入れると問題文にあることから、1,000千円はP/L計上額と読み取ることとする。

(3) 賞与引当金

（賞 与 引 当 金 繰 入 額）	40,000	（賞 与 引 当 金）	40,000

(4) 修繕引当金

（修 繕 引 当 金 繰 入 額）	5,000	（修 繕 引 当 金）	5,000

16. 未払法人税等

（法人税、住民税及び事業税）	250,000	（未 払 法 人 税 等）	＊	250,000

＊　(400,000千円＋100,000千円)－250,000千円＝250,000千円
　　　年税額　　　　　　　中間納付額

17. 繰越利益剰余金

繰越利益剰余金は下記の手順で逆算して算定することとする。

(1) 純資産（株主資本）合計

$$\underset{\text{資産合計}}{\underline{1,350,850千円}}-\underset{\text{負債合計}}{\underline{730,680千円}}=620,170千円$$

(2) 利益剰余金合計

$$\underset{\text{株主資本合計}}{\underline{620,170千円}}-\underset{\text{資本金}}{\underline{150,000千円}}-\underset{\text{申込証拠金}}{\underline{24,000千円}}-\underset{\text{資本剰余金}}{\underline{20,000千円}}=426,170千円$$

(3) 繰越利益剰余金

$$\underset{\text{利益剰余金}}{\underline{426,170千円}}-\underset{\text{利益準備金}}{\underline{10,000千円}}-\underset{\text{新築積立金}}{\underline{10,000千円}}-\underset{\text{減債積立金}}{\underline{10,000千円}}-\underset{\text{役員退職積立金}}{\underline{5,000千円}}-\underset{\text{別途積立金}}{\underline{20,000千円}}=371,170千円$$

参　考　計算問題の解法手順

　財務諸表論の計算問題は、貸借対照表や損益計算書を作成する総合問題が主として出題される。

　本試験問題では、資料として決算整理前の残高試算表が与えられ、これに関連する数多くの決算整理事項及び修正事項等が与えられる。これらの資料をもとに様々な決算整理及び修正等の処理を素早く行い、また、各科目の金額を正確に集計して貸借対照表や損益計算書を作成しなければならない。

　数多くの決算整理事項等を素早く処理し、各科目の金額を正確に集計するためには、どのような手順で総合問題を解けばよいのであろうか。ここでは、計算問題の解法手順について説明していく。

　なお、計算問題の解法手順には様々な方法があり、一概に優劣をつけることは難しい。例えば、問題資料の残高試算表の余白に変動した数値や新たに生じた科目名をメモしておく方法もあれば、すべての資料に関する仕訳を切り、科目ごとの金額を集計する方法などもある。

　ここでは、それらの方法のうち、「計算表（仮計表）」の作成に基く解法手順を紹介していく。

　なお、ここで紹介する解法手順は、絶対に行わなければならないものではない。各受講生ごとに自分に合った解法手順が必ず存在するはずである。今回紹介する解法手順を参考にし、自分なりの解法手順を確立するようにしてほしい。

(1) 損益計算書の計算表の作成手順

①　まず初めに、与えられた計算用紙に枠組みを作り、借方と貸方に大きく区分する。

②　設けられた借方及び貸方それぞれの区分に、損益計算書に応じたそれぞれの区分を設ける。

　　借方は、(イ)売上原価（売原）、(ロ)販売費及び一般管理費（販管）、(ハ)営業外費用（外費）、(ニ)特別損失（特損）の４つに細区分し、貸方は(イ)売上高（売上）、(ロ)営業外収益（外収）、(ハ)特別利益（特利）、(ニ)損益計算書の末尾（P/L末尾）の４つに細区分する。その際、各区分（とくに、販売費及び一般管理費など）とも十分な余裕をもたせておくようにする。

③　次に、問題の残高試算表に記載されている科目と金額を、該当する区分に書き写す。その際、科目名等は、自分でわかる範囲内で省略して記載すると時間の短縮となる。

　　（例：受取配当金 ⇒「受配」など）

④　さらに問題に与えられている決算整理事項等の資料に基づいて、必要な処理（仕訳）を行う。

　　なお、この仕訳は頭の中で行い（頭の中で仕訳を切る）、その結果生じた科目や金額を計算表の該当する部分に記載をしていく。

その際、金額の増加は「＋」、減少は「－」の符号を付けて記入をする。また、処理の結果新たに生じた科目については、該当する区分に書き加えていく。

⑤ すべての処理が終わり、計算表への記入が終了したら、最後に金額を集計し、答案用紙に転記する。

なお、金額の集計は各科目ごとに「試算表の金額 ＋ 増加額 － 減少額」の手順で集計する。

また、転記漏れがないかチェックすることも忘れないようにしてほしい。転記漏れをチェックする方法としては、次のいずれかの方法によるとよい。

(イ) ヨコ線で消していく方法（これが最も確実）

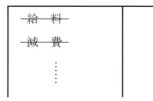

(ロ) タテ線のチェックマークを付す方法（これは全部について付すと1本の線につながるので記入漏れがあれば一目瞭然）

⑥ その他の注意事項

(イ) 決算日の日付は、必ずマークしておくこと。また、1年後の日付（翌期の決算日）もメモしておくこと。

(ロ) 関係会社（親会社、子会社、関連会社及び当社を関連会社とする会社）については、判明次第メモしておき、関係会社を素早く判断できるようにしておくこと。

(ハ) 注記事項の記載が要求されている場合には、注記事項を記載する時間をきちんと確保し、確実に解答すること。

なお、注記事項については、いつの時点で答案用紙に記載するか迷うところであるが、一般に次の2つの時点が考えられる。

(a) 該当する注記事項が出てきた都度、答案用紙に記載する。

(b) 時間を確保しておき、最後にまとめて記載する。

(b)の方法を採用する場合には、問題を解いている時に、関連する資料番号の脇にメモを付しておくとよい。その際、注記事項のグループ（重要な会計方針に係る事項に関する注記、貸借対照表等に関する注記など）ごとに分けてメモを付しておくとよい。

問題1の問1を利用し、損益計算書の計算表を作成すると以下のようになる。

P/L 計 算 表

（売　　原）	（売　　上）
期　首　　37,400	売　上　786,000
当　仕　425,800	
見本振　　　400	
商評損　　1,800	
期　末　　30,500	

（販　　管）	（外　　収）
給　料　62,350	**受　利**　730＋220
旅　費　7,100＋450	**有　利**　120＋30
福　利　12,670	**受　配**　440＋110
租　公　7,130	
見　本　　　400	
貸引繰　3,350－1,270	
退　費　　7,509	（特　　利）
減　費　3,350＋9,300	**固売益**　150,000
商標償　　1,000	
開発償　　　500	

（外　　費）	（P/L 末尾）
支　利　7,400	法住事　330＋30＋29,290
有売損　200	＋45,110

（特　　損）	
固災損　105,850－51,350	
貸引繰　72,000	

なお、P/L 計算表内の太字部分（ゴシック体部分）は残高試算表の内容を示し、細字部分はその後の調整を示す。

(2) 貸借対照表の計算表の作成手順

①　まず初めに、与えられた計算用紙に枠組みを作り、借方と貸方に大きく区分する。

②　設けられた借方及び貸方それぞれの区分に、貸借対照表に応じたそれぞれの区分を設ける。
　　借方は、(イ)流動資産（流資）、(ロ)有形固定資産（有固）、(ハ)無形固定資産（無固）、(ニ)投資その他の資産（投資）、(ホ)繰延資産（繰資）の５つに細区分し、貸方は、(イ)流動負債（流負）、(ロ)固定負債（固負）、(ハ)純資産（純産）の３つに細区分する。その際、各区分（とくに、流動資産、投資その他の資産、流動負債、固定負債の４つ）とも十分な余裕をもたせておくようにする。

③　その他は、上記(1)で見た損益計算書の計算表の作成手順と同様に行えばよい。

問題1の問2を利用し、貸借対照表の計算表を作成すると以下のようになる。

B/S 計 算 表

（流 資）		（流 負）	
現　金	20,000−20,000	支　手	50,000
定　積	30,000−30,000	買　掛	100,000−500
定　預	40,000−40,000	仮　受	21,900−21,900
受　手	250,000−5,000	借　入	80,000−80,000
貸　引	4,900	短　借	50,000
売　掛	100,000	1長借	30,000
貸　引	2,000	1社債	5,000
有　価	129,000−49,000−70,000	未　払	60
商　品	50,000−50,000＋57,000	未法人	250,000
貸　付	227,500−2,500−225,000	賞　引	40,000
仮　払	255,340−340−250,000	修　引	5,000
	−5,000	保　証	120
現　預	15,000＋30,000		
短　貸	1,000		
立　替	5,000		
前払費	1,500		
（有 固）		**（固 負）**	
建　物	160,000−9,000	社　債	105,000−5,000
備　品	27,500−11,250	退　引	100,000＋1,000
土　地	316,400		
（無 固）		**（純 産）**	
権　利	5,000−2,500−500	資　本	150,000
（投 資）		資　準	20,000
投　有	49,000	利　準	10,000
関　株	70,000	新　積	10,000
長　預	40,000	減　積	10,000
長　貸	1,500＋225,000	役　積	5,000
敷　金	2,500	別　積	20,000
長前費	1,500	繰　利	10,000＋361,170
破　更	5,000	証拠金	24,000
貸　引	2,500		
（繰 資）			
社発費	15,000−1,500		
株交費	2,100		

なお、B/S 計算表内の太字部分（ゴシック体部分）は残高試算表の内容を示し、細字部分はその後の調整を示す。

※ □で囲まれた数字は配点を示す。

貸 借 対 照 表

タカサキ商事株式会社　　　　　　×22年３月31日　　　　　　　（単位：千円）

科　　　　目		金　　額	科　　　　目		金　　額
資 産 の 部			負 債 の 部		
Ⅰ 流 動 資 産	（	1,613,131）	Ⅰ 流 動 負 債	（	683,775）
現 金 預 金	1	74,530	支 払 手 形		121,000
受 取 手 形	1	609,000	買 掛 金		326,000
売 掛 金	1	528,450	短 期 借 入 金	1	12,000
有 価 証 券	1	83,200	1年以内返済長期借入金	1	15,600
商 品	1	274,000	未 払 金	1	44,610
前 払 費 用	1	3,000	未 払 法 人 税 等	1	111,500
短 期 貸 付 金	1	65,000	未 払 消 費 税 等		22,700
貸 倒 引 当 金	△	24,049	預 り 金	1	6,000
Ⅱ 固 定 資 産	（	1,200,860）	賞 与 引 当 金		23,000
1. 有 形 固 定 資 産	（	522,120）	未 払 費 用	1	1,365
建 物	1	360,000	Ⅱ 固 定 負 債	（	520,300）
減価償却累計額	1△	170,100	社 債		160,000
車 両	1	85,000	長 期 借 入 金	1	48,300
減価償却累計額	1△	40,720	長 期 預 り 金	1	38,000
器 具 備 品	1	60,000	退 職 給 付 引 当 金		274,000
減価償却累計額	1△	21,060	負 債 の 部 合 計		1,204,075
土 地	1	249,000	純 資 産 の 部		
2. 無 形 固 定 資 産	（	102,160）	Ⅰ 株 主 資 本	（	1,609,916）
借 地 権		102,160	1. 資 本 金		728,000
3. 投資その他の資産	（	576,580）	2. 資 本 剰 余 金	（	70,000）
投 資 有 価 証 券	1	105,000	(1) 資 本 準 備 金		70,000
関 係 会 社 株 式	1	176,000	3. 利 益 剰 余 金	（	811,916）
長 期 預 金	1	90,000	(1) 利 益 準 備 金	1	104,376
関係会社長期貸付金	1	55,000	(2) その他利益剰余金	（	707,540）

（次頁に続く）

破産更生債権等	1	21,000	別途積立金	1	312,090
長期前払費用	1	7,500	繰越利益剰余金		395,450
繰延税金資産	1	133,680			
貸倒引当金	1△	11,600	純資産の部合計		1,609,916
資産の部合計		2,813,991	負債及び純資産の部合計		2,813,991

貸借対照表等に関する注記

①	取締役に対する金銭債権が40,000千円ある。	1
②	尾張商事株式会社の金融機関からの借入金に対し、20,000千円の債務保証を行っている。	1

損 益 計 算 書

タカサキ商事株式会社　　　自×21年4月1日　至×22年3月31日　　　　（単位：千円）

摘　　　　要	金	額
Ⅰ　売　　上　　高		☐1　6,262,000
Ⅱ　売　上　原　価		
期首商品棚卸高	225,000	
当期商品仕入高	☐1　3,709,000	
合　　　計	3,934,000	
期末商品棚卸高	☐1　274,000	3,660,000
売　上　総　利　益		2,602,000
Ⅲ　販売費及び一般管理費		
給　料　手　当	1,269,400	
支　払　運　送　料	321,600	
租　税　公　課	☐1　21,050	
貸　倒　損　失	☐1　2,000	
貸倒引当金繰入額	☐1　33,249	
賞与引当金繰入額	☐1　23,000	
退　職　給　付　費　用	36,000	
商　標　権　使　用　料	☐1　1,500	
減　価　償　却　費	☐1　35,027	
その他の販売管理費	☐1　374,350	2,117,176
営　業　利　益		484,824
Ⅳ　営　業　外　収　益		
受　取　利　息	2,790	
有　価　証　券　利　息	1,500	
受　取　配　当　金	3,300	
仕　入　割　引	4,000	
雑　　収　　入	1,380	12,970
Ⅴ　営　業　外　費　用		
支　払　利　息	☐1　2,870	
社　債　利　息	3,000	
貸倒引当金繰入額	☐1　2,400	8,270

（次頁に続く）

経 常 利 益			489,524
Ⅵ 特 別 利 益			
固 定 資 産 売 却 益	1	7,306	7,306
税 引 前 当 期 純 利 益			496,830
法人税、住民税及び事業税	1	214,000	
法 人 税 等 調 整 額	1 △	21,400	192,600
当 期 純 利 益			304,230

【配　点】　1×50カ所　　合計50点

解答への道 （仕訳の単位：千円）

1．株主総会の決議事項

（繰越利益剰余金）	46,136	（仮　　　払　　　金）	23,760
		（利　益　準　備　金）　＊	2,376
		（別　途　積　立　金）	20,000

＊(1)　$23,760千円 \times \dfrac{1}{10} = 2,376千円$

(2)　$728,000千円 \times \dfrac{1}{4} - (\underset{資本準備金}{70,000千円} + \underset{利益準備金}{102,000千円}) = 10,000千円$

(3)　(1) ＜ (2)　∴　2,376千円

2．有価証券

(1)　神奈川工芸株式会社株式（その他有価証券）

（投　資　有　価　証　券）	41,600	（有　　価　　証　　券）	41,600

(2)　愛知産業株式会社株式（売買目的有価証券）

（有　　価　　証　　券） ＜流　動　資　産＞	23,500	（有　　価　　証　　券） ＜試　　算　　表＞	23,500

(3)　三河物流株式会社株式（その他有価証券）

（投　資　有　価　証　券）	37,900	（有　　価　　証　　券）	37,900

(4)　カネモト運送株式会社株式（子会社株式）

（関　係　会　社　株　式）　＊	120,000	（有　　価　　証　　券）	120,000

＊　議決権の保有割合が55％であるため、当社の子会社に該当する。

(5)　尾張商事株式会社株式（関連会社株式）

（関　係　会　社　株　式）　＊	56,000	（有　　価　　証　　券）	56,000

＊　議決権の保有割合が30％であるため、当社の関連会社に該当する。

(6)　名古屋商事株式会社株式（その他有価証券）

（投　資　有　価　証　券）	5,500	（有　　価　　証　　券）	5,500

(7)　川崎物産株式会社社債（満期保有目的の債券）

（有　　価　　証　　券） ＜流　動　資　産＞	59,700	（有　　価　　証　　券） ＜試　　算　　表＞	59,700

(8)　カネモト運送株式会社社債（その他有価証券）

（投　資　有　価　証　券）	20,000	（有　　価　　証　　券）	20,000

3．棚卸資産

（期 首 商 品 棚 卸 高）	225,000	（商 品）	225,000
（当 期 商 品 仕 入 高）	3,709,000	（仕 入）	3,740,000
（仕 入 値 引）	31,000		
（商 品）	274,000	（期 末 商 品 棚 卸 高）	274,000

4．有形固定資産

(1)　建物

（建 物）	*1 162,000	（減 価 償 却 累 計 額）	*1 162,000
（減 価 償 却 費）	*2 8,100	（減 価 償 却 累 計 額）	8,100

＊1　取得原価から、減価償却累計額が直接控除されているため、間接控除形式への修正が必要となる。

＊2　$(198,000千円＋162,000千円)×0.9×\dfrac{1年}{40年}＝8,100千円$

(2)　車両

①　間接控除形式への修正

（車 両）	42,899	（減 価 償 却 累 計 額）	42,899

②　買換

イ　本来行うべき仕訳

（減 価 償 却 累 計 額）	16,087	（車 両）	30,000
（減 価 償 却 費）	*1 2,219	（固 定 資 産 売 却 益）	*2 306
（車 両）	35,000	（現 金 預 金）	23,000

＊1　$(30,000千円－16,087千円)×0.319×\dfrac{6カ月}{12カ月}＝2,219千円$　（千円未満切捨）

　　　　旧車両の期首帳簿価額＝13,913千円

＊2　$12,000千円－(13,913千円－2,219千円)＝306千円$

　　　　旧車両の下取り直前帳簿価額＝11,694千円

ロ　当社が行った仕訳

（車 両）	23,000	（現 金 預 金）	23,000

ハ　修正仕訳

（減 価 償 却 累 計 額）	16,087	（車 両）	18,000
（減 価 償 却 費）	2,219	（固 定 資 産 売 却 益）	306

ニ　新車両の減価償却

（減 価 償 却 費）	* 6,512	（減 価 償 却 累 計 額）	6,512

＊　$35,000千円×0.319×\dfrac{7カ月}{12カ月}＝6,512千円$　（千円未満切捨）

③ 既存の車両の減価償却

（減 価 償 却 費）	＊	7,396	（減 価 償 却 累 計 額）		7,396

＊ $\underbrace{(60,101千円}_{T/B車両}-\underbrace{23,000千円}_{支払代金}-\underbrace{13,913千円)}_{旧車両期首帳簿価額}×0.319＝7,396千円（千円未満切捨）$

既存車両の期首帳簿価額＝23,188千円

(3) 器具備品

（器 具 備 品）	＊1	10,260	（減 価 償 却 累 計 額）	＊1	10,260
（減 価 償 却 費）	＊2	10,800	（減 価 償 却 累 計 額）		10,800

＊1 取得原価から、減価償却累計額が直接控除されているため、間接控除形式への修正が必要となる。

＊2 $(49,740千円＋10,260千円)×0.9×\dfrac{1年}{5年}＝10,800千円$

(4) 土地

（土 地）	＊	3,000	（その他の販売管理費）	3,000

＊ 固定資産の交換により支払った交換差金は、取得原価に含めることとなる。

5. 賞与引当金

（賞 与 引 当 金 繰 入 額）	23,000	（賞 与 引 当 金）	23,000

6. 現金預金

(1) 当座預金

（現 金 預 金）	4,610	（未 払 金）	4,610

※

銀行勘定調整表

企業（当社）残高	57,000千円		銀行残高	50,110千円
加算	未渡小切手	4,610千円（注） 〔資料Ⅱ〕6(1)②	加算 時間外預入	15,000千円 〔資料Ⅱ〕6(1)①
減算	————	————	減算 未取付小切手	3,500千円 〔資料Ⅱ〕6(1)③
修正後残高	61,610千円		修正後残高	61,610千円

（注） 企業（当社）残高の修正項目、すなわち本問の場合、未渡小切手についてのみ修正仕訳が必要となる。

(2) 長期預金

（長 期 預 金）	90,000	（現 金 預 金）	90,000

7. 受取手形、売掛金及び売上

(1) 受取手形

（破 産 更 生 債 権 等） <投資その他の資産>	21,000	（受 取 手 形）	21,000

(2) 売掛金

（貸 倒 引 当 金）	9,000	（売 掛 金）	11,000
（貸 倒 損 失） <販売費及び一般管理費>	2,000		

8．貸付金

（関係会社長期貸付金）	55,000		（貸　　付　　金）	120,000
（短　期　貸　付　金）	＊	65,000			

＊　25,000千円＋40,000千円＝65,000千円
　　　川崎物産　　A取締役

注記　取締役に対する金銭債権につき、貸借対照表等に関する注記が必要である。

9．仮払金

(1)　剰余金の配当（上記1参照）

(2)　法人税、住民税及び事業税

（法人税、住民税及び事業税）	＊1	107,000	（仮　　払　　金）	111,550
（租　　税　　公　　課）	＊2	4,550		

＊1　80,000千円　＋31,550千円－4,550千円＝107,000千円
　　　法人税及び住民税　事業税のうち外形基準分以外

＊2　事業税のうち外形基準によって計算された分（資本割分及び付加価値割分）は販売費及び一般管理費（租税公課）として処理する。

10．借入金

(1)　甲銀行

（借　　　入　　　金）	42,900	（1年以内返済長期借入金）	＊1	15,600
		（長　期　借　入　金）		27,300
（支　　払　　利　　息）	＊2　1,365	（未　　払　　費　　用）		1,365

＊1　42,900千円×$\dfrac{1カ月}{3年×12カ月－3カ月}$＝1,300千円（1月当たりの返済額）

　　　1,300千円×12カ月＝15,600千円

＊2　×22.1.1～×22.1.31　（42,900千円＋1,300千円×3）　×1.0％＝　468千円
　　　×22.2.1～×22.2.28　（42,900千円＋1,300千円×2）　×1.0％＝　455千円
　　　×22.3.1～×22.3.31　（42,900千円＋1,300千円）　　　×1.0％＝　442千円
　　　　　　　　　　　　　　　　　　　　　　　　　　合計　1,365千円

(2)　乙銀行

（借　　　入　　　金）	12,000	（短　期　借　入　金）	12,000

(3)　丙銀行

（借　　　入　　　金）	21,000	（長　期　借　入　金）	21,000

11．預り金

（預　　　り　　　金）	38,000	（長　期　預　り　金）	38,000

12. 貸倒引当金

(1) 設定

（貸倒引当金繰入額）	＊ 35,649	（貸 倒 引 当 金）	35,649

＊ 受 取 手 形：609,000千円（注1）　　　×2％＝12,180千円

　 破 産 更 生 債 権 等：21,000千円－10,500千円　　　　＝10,500千円

　 売 　 掛 　 金：528,450千円（注2）　　　×2％＝10,569千円

　 短 期 貸 付 金：65,000千円　　　　　　　×2％＝ 1,300千円

　 関係会社長期貸付金：55,000千円　　　　　　　×2％＝ 1,100千円

　　　　　　　　　　　　　　　　　　　　　　合計 　35,649千円

（注1）<u>630,000千円</u>－<u>21,000千円</u>＝609,000千円
　　　　 T/B　　　　破産更生債権等
（注2）<u>539,450千円</u>－<u>11,000千円</u>＝528,450千円
　　　　 T/B　　　　貸倒れ

(2) 財務諸表表示

① 損益計算書表示（貸倒引当金繰入額）

　販売費及び一般管理費 <u>12,180千円</u>＋<u>10,500千円</u>＋<u>10,569千円</u>＝33,249千円
　　　　　　　　　　　受取手形　　破産更生債権等　　売掛金
　営 業 外 費 用 <u>1,300千円</u>＋<u>1,100千円</u>＝2,400千円
　　　　　　　　　短期貸付金　関・長貸

② 貸借対照表表示（貸倒引当金）

　流 動 資 産 <u>12,180千円</u>＋<u>10,569千円</u>＋<u>1,300千円</u>＝24,049千円
　　　　　　　受取手形　　　売掛金　　短期貸付金
　投 資 そ の 他 の 資 産 <u>10,500千円</u>＋<u>1,100千円</u>＝11,600千円
　　　　　　　　　　　　　破産更生債権等　関・長貸

13. その他の販売管理費

(1) 土地交換差金（上記4(4)参照）

(2) 商標権使用料

（商 標 権 使 用 料）	＊1 1,500	（その他の販売管理費）	12,000
（前 払 費 用）	＊2 3,000		
（長 期 前 払 費 用）	7,500		

＊1　12,000千円× $\dfrac{1カ月}{4年×12カ月}$ ＝250千円（1月当たりの商標権使用料）

　　　250千円×6カ月＝1,500千円

＊2　250千円×12カ月＝3,000千円

14. 法人税、住民税及び事業税

（法人税、住民税及び事業税）	107,000	（未 払 法 人 税 等）	＊1 111,500
（租 税 公 課）	＊2 4,500		

＊1　<u>（160,500千円＋62,550千円）</u>－<u>111,550千円</u>＝111,500千円
　　　　　　　年税額　　　　　　予定納付額
＊2　<u>9,050千円</u>－<u>4,550千円</u>＝4,500千円
　　　年税額　　予定納付額

15. 税効果会計

(1) 前期分

(法 人 税 等 調 整 額)	112,280	(繰 延 税 金 資 産) ＜試 算 表＞	112,280

(2) 当期分

(繰 延 税 金 資 産) ＊	133,680	(法 人 税 等 調 整 額)	133,680

＊ 334,200千円×40％＝133,680千円

(3) 財務諸表表示

① 損益計算書表示（法人税等調整額）

$\underset{上記(2)}{133,680千円}-\underset{上記(1)}{112,280千円}=21,400千円$ （法人税、住民税及び事業税から減算）

② 貸借対照表表示（繰延税金資産）

投資その他の資産 $\underset{上記(2)}{133,680千円}$

16. 債務保証

注記 債務保証につき、貸借対照表等に関する注記が必要である。

なお、債務保証に係る対照勘定による備忘記録は、貸借対照表には計上しない。

17. 繰越利益剰余金

$\underset{T/B}{137,356千円}-\underset{剰余金の配当等}{46,136千円}+\underset{当期純利益}{304,230千円}=395,450千円$

※　□で囲まれた数字は配点を示す。

貸 借 対 照 表

甲株式会社　　　　　　　　　　　X30年 3 月31日　　　　　　　　　　（単位：千円）

科　　　目	金　　額	科　　　目	金　　額
資 産 の 部		負 債 の 部	
I　流 動 資 産	（　　555,245）	I　流 動 負 債	（　　497,000）
現 金 預 金　①	91,500	支 払 手 形	97,700
受 取 手 形　①	156,000	買 掛 金　①	146,250
売 掛 金　①	89,000	短 期 借 入 金　①	65,000
有 価 証 券　①	17,100	1年以内返済長期借入金　①	82,000
商 品　①	123,575	未 払 金　①	15,050
貯 蔵 品　①	250	未 払 法 人 税 等　①	39,000
短 期 貸 付 金　①	64,000	預 り 金	26,000
未 収 金　①	20,000	修 繕 引 当 金	2,000
貸 倒 引 当 金　①	△ 6,180	短期固定資産購入支払手形	24,000
II　固 定 資 産	（　　808,087）	II　固 定 負 債	（　　256,990）
1．有形固定資産	（　　460,510）	長 期 借 入 金	28,000
建 物　①	204,875	退 職 給 付 引 当 金　①	222,990
備 品　①	29,580	長期固定資産購入支払手形　①	6,000
土 地　①	211,055	負 債 の 部 合 計	753,990
建 設 仮 勘 定　①	15,000	純 資 産 の 部	
2．無形固定資産	（　　44,100）	I　株 主 資 本	（　　672,610）
商 標 権　①	4,650	1．資 本 金	270,000
借 地 権	39,450	2．資 本 剰 余 金	（　　31,500）
3．投資その他の資産①	（　　303,477）	(1) 資 本 準 備 金	31,500
投 資 有 価 証 券　①	53,000	3．利 益 剰 余 金	（　　371,110）
長 期 預 金　①	95,000	(1) 利 益 準 備 金	27,500
投 資 建 物　①	39,250	(2) その他利益剰余金①	（　　343,610）
不 渡 手 形　①	18,000	役員退職慰労積立金　①	122,000
破産更生債権等　①	37,000	別 途 積 立 金	74,775
繰 延 税 金 資 産　①	97,227	繰 越 利 益 剰 余 金	146,835

（次頁に続く）

貸 倒 引 当 金	△36,000	Ⅱ　　評価・換算差額等		（　　　　732）
Ⅲ　　繰 延 資 産	（　　64,000）	1．その他有価証券評価差額金	1	732
開 発 費	64,000	純 資 産 の 部 合 計		673,342
資 産 の 部 合 計	1,427,332	負債及び純資産の部合計		1,427,332

損　益　計　算　書

自　X29年4月1日
甲株式会社　　至　X30年3月31日　（単位：千円）

科　　　目	金	額
Ⅰ　売　上　高		1,774,570
Ⅱ　売　上　原　価		
期首商品棚卸高	110,000	
当期商品仕入高	1,261,000	
合　　計	1,371,000	
期末商品棚卸高	142,000	
差　　引	1,229,000	
商　品　減　耗　損　１	5,200	
商　品　評　価　損　１	9,775	1,243,975
売　上　総　利　益		530,595
Ⅲ　販売費及び一般管理費		
給　料　手　当	150,000	
租　税　公　課　１	18,650	
開　　発　　費　１	2,000	
減　価　償　却　費　１	15,045	
商　標　権　償　却	600	
開　発　費　償　却　１	16,000	
貸倒引当金繰入額　１	12,675	
修繕引当金繰入額　１	2,000	
退　職　給　付　費　用　１	27,490	
その他販売管理費	59,890	304,350
営　業　利　益		226,245
Ⅳ　営　業　外　収　益		
受取利息配当金　１	37,000	
投資不動産賃貸料	12,000	
有価証券評価益　１	200	
雑　　収　　入	13,140	62,340

科　　　目	金	額
Ⅴ　営　業　外　費　用		
支　払　利　息	23,000	
投資建物減価償却費　１	750	
貸倒引当金繰入額　１	960	
為　替　差　損　１	300	25,010
経　常　利　益		263,575
Ⅵ　特　別　利　益		
固定資産売却益　１	3,000	3,000
Ⅶ　特　別　損　失		
投資有価証券評価損　１	17,100	
商　品　評　価　損　１	3,450	
役　員　退　職　慰　労　金	28,000	
貸倒引当金繰入額　１	27,000	75,550
税引前当期純利益		191,025
法人税、住民税及び事業税	106,500	
法人税等調整額　△	6,630	１ 99,870
当　期　純　利　益		91,155

【配　点】　　１×50カ所　　合計50点

-106-

解答への道 （仕訳の単位：千円）

1．現金預金

(1)① 当座預金

（現　金　預　金）	2,000	（短　期　借　入　金）	2,000

② Ｌ銀行定期預金

（長　期　預　金）　＊	80,000	（現　金　預　金）	80,000

＊　満期日が翌々期以降に到来するため、１年基準を適用して固定項目として取扱う。

③ Ｉ銀行積立預金

（長　期　預　金）　＊	15,000	（現　金　預　金）	15,000

＊　既積立月数　$\dfrac{15,000千円}{当期末残高} ÷ \dfrac{1,000千円}{1カ月当たりの積立額} ＝15カ月$

未積立月数　48カ月－15カ月＝33カ月＞12カ月

満期日が翌々期以降に到来するため、１年基準を適用して固定項目として取扱う。

(2)① 未渡小切手

（現　金　預　金）	7,000	（未　払　金）　＊	7,000

＊　備品に係る購入代金の未払額として「未払金」を計上する。

② 収入印紙

（租　税　公　課）	200	（貯　蔵　品）	200
（貯　蔵　品）	250	（租　税　公　課）	250

2．受取手形

(1) 不渡手形（Ｊ社に対する手形）

（不　渡　手　形）　＊ ＜投資その他の資産＞	18,000	（受　取　手　形）	18,000

＊　不渡りとなった手形は不渡手形として計上し、また、「翌期中の回収は見込めない」とある

ため、１年基準を適用して固定項目として取扱う。

(2) 破産更生債権等（Ｋ社に対する手形）

（破　産　更　生　債　権　等）　＊ ＜投資その他の資産＞	12,000	（受　取　手　形）	12,000

＊　経営破綻に陥った相手先に対する債権は、破産更正債権等として計上し、「翌期中の回収は

見込めない」とあるため、１年基準を適用して固定項目として取扱う。

3．売掛金

(1) 破産更生債権等（Ｋ社に対する売掛金）

（破　産　更　生　債　権　等）　＊ ＜投資その他の資産＞	25,000	（売　掛　金）	25,000

＊　「翌期中の回収は見込めない」とあるため、１年基準を適用して固定項目として取扱う。

(2) 土地の売却代金未収額

① 正しい仕訳

（未 収 金）	20,000	（土 地）	17,000
		（固定資産売却益）	3,000

② 会社が行った仕訳

（売 掛 金）	20,000	（固定資産売却益）	20,000

③ 修正仕訳

（未 収 金）	20,000	（売 掛 金）	20,000
（固定資産売却益）	17,000	（土 地）	17,000

4．有価証券

(1) A社株式（市場価格のあるその他有価証券）

（投資有価証券） *1	16,250	（有 価 証 券）	14,250
		（繰延税金負債） *2	780
		（その他有価証券評価差額金） *2	1,220

＊1　売買目的、関係会社の株式以外の株式であるため、「投資有価証券」として投資その他の資産に表示する。

＊2　評価差額：<u>16,250千円</u>－<u>14,250千円</u>＝2,000千円
　　　　　　　　時価　　　　　簿価

　　　繰延税金負債：<u>2,000千円</u>×39％＝780千円
　　　　　　　　　　　評価差額

　　　その他有価証券評価差額金：<u>2,000千円</u>－780千円＝1,220千円
　　　　　　　　　　　　　　　　　評価差額

(2) B社株式（売買目的有価証券）

（有 価 証 券） ＊ ＜流 動 資 産＞	17,100	（有 価 証 券） ＜試 算 表＞	16,900
		（有価証券評価益）	200

＊　売買目的の株式であるため、「有価証券」として流動資産に表示する。

(3) 乙社株式（市場価格のあるその他有価証券）

（投資有価証券） *1	17,000	（有 価 証 券）	34,100
（投資有価証券評価損） *2 ＜特 別 損 失＞	17,100		

＊1　売買目的、関係会社の株式以外の株式であるため、「投資有価証券」として投資その他の資産に表示する。

＊2　時価が著しく下落し、原価までの回復見込みがないため、減損処理を適用する。

(4) O社社債（満期保有目的の債券）

（投 資 有 価 証 券）	＊	7,800	（有　価　証　券）	7,800

＊　売買目的以外の社債で、翌々期以降に償還期日が到来するため、「投資有価証券」として投資その他の資産に表示する。

(5) P社社債（市場価格のあるその他有価証券）

（投 資 有 価 証 券）	＊1	11,950	（有　価　証　券）	12,750
（繰 延 税 金 資 産）	＊2	312		
（その他有価証券評価差額金）	＊2	488		

＊1　売買目的以外の社債で、翌々期以降に償還期日が到来するため、「投資有価証券」として投資その他の資産に表示する。

＊2　評価差額：<u>12,750千円</u>－<u>11,950千円</u>＝800千円
　　　　　　　　簿価　　　　　時価

　　　繰延税金資産：<u>800千円</u>×39％＝312千円
　　　　　　　　　　評価差額

　　　その他有価証券評価差額金：<u>800千円</u>－312千円＝488千円
　　　　　　　　　　　　　　　　評価差額

５．商品

（期 首 商 品 棚 卸 高）		110,000	（商　　　　　品）		110,000
（当 期 商 品 仕 入 高）		1,261,000	（仕　　入　　高）		1,261,000
（商 品 減 耗 損） ＜売 上 原 価＞	＊	5,200	（期 末 商 品 棚 卸 高）	＊	142,000
（商 品 評 価 損） ＜特 別 損 失＞	＊	3,450			
（商 品 評 価 損） ＜売 上 原 価＞	＊	9,775			
（商　　　　　品）	＊	123,575			

＊　期末商品の評価等

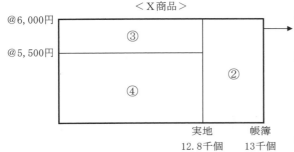

① P/L 期末商品棚卸高

　13,000個×@6,000円＝78,000千円

② 減耗損

　（13,000個－12,800個）×@6,000円

　＝1,200千円

　＜売上原価＞

③ 時価下落を原因とする評価損

　12,800個×（@6,000円－@5,500円）

　＝6,400千円＜売上原価＞

④ B/S 商品：①－（②＋③）＝70,400千円

問題
3
解答

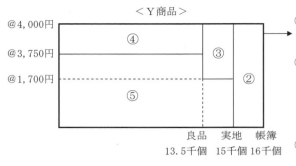

①　P/L 期末商品棚卸高

　　16,000個×@4,000円＝64,000千円

②　減耗損

　　（16,000個－15,000個）×@4,000円

　　＝4,000千円

　　＜売上原価＞

③　陳腐化を原因とする評価損

　　1,500個×（@4,000円－@1,700円）

　　＝3,450千円

　　＜特別損失＞

④　時価下落を原因とする評価損

　　13,500個×（@4,000円－@3,750円）

　　＝3,375千円

　　＜売上原価＞

⑤　B/S 商品

　　①－（②＋③＋④）＝53,175千円

　P/L期末商品棚卸高：<u>78,000千円</u>＋<u>64,000千円</u>＝142,000千円
　　　　　　　　　　　　　X商品　　　　Y商品

　商品減耗損（売上原価）：<u>1,200千円</u>＋<u>4,000千円</u>＝5,200千円
　　　　　　　　　　　　　　X商品　　　　Y商品

　商品評価損（特別損失）：<u>3,450千円</u>
　　　　　　　　　　　　　　　Y商品

　商品評価損（売上原価）：<u>6,400千円</u>＋<u>3,375千円</u>＝9,775千円
　　　　　　　　　　　　　　X商品　　　　Y商品

　B/S商　　　　　　　　品：<u>70,400千円</u>＋<u>53,175千円</u>＝123,575千円
　　　　　　　　　　　　　　X商品　　　　Y商品

　※　商品評価損は原則として売上原価処理することに留意すること。

6．仮払金

(1) 法人税、住民税及び事業税の中間納付額

（法人税、住民税及び事業税）　*1　62,000	（仮　　払　　金）　64,000
（租　税　公　課）　*2　2,000	

　*1　<u>　56,000千円　</u>＋（8,000千円－2,000千円）＝62,000千円
　　　　法人税及び住民税　　事業税（所得割分）

　*2　外形基準分

(2) 建設代金の前払額

（建　設　仮　勘　定）　15,000	（仮　　払　　金）　15,000

7. 貸付金

（短　期　貸　付　金）	＊	64,000	（貸　　付　　金）	64,000

＊　返済期日が翌期中に到来するため、1年基準を適用して流動項目として取扱う。

8. 有形固定資産

(1) 自己使用建物

（減　価　償　却　費）	＊	5,625	（減　価　償　却　累　計　額）	5,625

＊① 既存分

$$（300,000千円-100,000千円）\times 0.9\times \frac{1年}{40年}=4,500千円$$

② 新規取得分

$$100,000千円\times 60\%\times 0.9\times \frac{1年}{40年}\times \frac{10カ月}{12カ月}=1,125千円$$

計　5,625千円

(2) 投資建物

（投　資　建　物）	＊1	40,000	（建　　　　　　物）	40,000
（投資建物減価償却費） ＜営　業　外　費　用＞	＊2	750	（減　価　償　却　累　計　額）	750

＊1　$100,000千円\times 40\%=40,000千円$

＊2　$100,000千円\times 40\%\times 0.9\times \dfrac{1年}{40年}\times \dfrac{10カ月}{12カ月}=750千円$

(3) 支払手形

（支　　払　　手　　形）	30,000	（短期固定資産購入支払手形）	＊	24,000
		（長期固定資産購入支払手形）	＊	6,000

＊　1枚当たりの手形金額：50,000千円÷25枚＝2,000千円

短期：2,000千円×12カ月＝24,000千円

長期：2,000千円×3カ月＝6,000千円

※　なお、当該手形は X29年6月30日を初回として、1カ月ごとに1枚ずつ決済されているものであることから、手形全25枚のうち、10枚については期末時点までに既に決済されていることに留意する。

(4) 備品

（減　価　償　却　費）	＊	9,420	（減　価　償　却　累　計　額）	9,420

＊① 既存分

$$（57,000千円-7,000千円）\times 0.9\times \frac{1年}{5年}=9,000千円$$

② 新規取得分

$$7,000千円\times 0.9\times \frac{1年}{5年}\times \frac{4カ月}{12カ月}=420千円$$

計　9,420千円

(5) 貸借対照表表示

建　　物：(300,000千円－40,000千円)－55,125千円（注1）＝204,875千円
　　　　　　　　取得原価　　　　　　　減価償却累計額

備　　品：57,000千円－27,420千円（注2）＝29,580千円
　　　　　取得原価　　減価償却累計額

投資建物：40,000千円－　　750千円　　＝39,250千円
　　　　　取得原価　　減価償却累計額

（注1）建物減価償却累計額：49,500千円＋　5,625千円　＝55,125千円
　　　　　　　　　　　　　　試算表　　　当期減価償却費

（注2）備品減価償却累計額：18,000千円＋　9,420千円　＝27,420千円
　　　　　　　　　　　　　　試算表　　　当期減価償却費

9．土　地

| （借　　地　　権） | 34,000 | （土　　　　地） | 34,000 |

10．商標権

| （商　標　権　償　却）　＊ | 600 | （商　　標　　権） | 600 |

＊　$5,250千円 \times \dfrac{12 \, カ月}{10 \, 年 \times 12 \, カ月 － 15 \, カ月} = 600千円$

11．開発費

（開　　発　　費）<販売費及び一般管理費>	2,000	（開　　発　　費）<試　算　表>	82,000
（開　発　費　償　却）　＊<販売費及び一般管理費>	16,000		
（開　　発　　費）<繰　延　資　産>	64,000		

＊　$(82,000千円 － 2,000千円) \times \dfrac{12 \, カ月}{5 \, 年 \times 12 \, カ月} = 16,000千円$

12．買掛金

| （為　替　差　損） | 300 | （買　　掛　　金） | 300 |

※　決済時に減額すべき買掛金の金額は、帳簿価額であり、決済日の為替レートによる換算額との差額は、為替差損益で処理すべきであるため、修正処理が必要となる。

13．借入金

(1) C物産株式会社

| （借　　入　　金） | 76,000 | （1年以内返済長期借入金）＊1 | 48,000 |
| | | （長　期　借　入　金）＊2 | 28,000 |

＊1　$76,000千円 \times \dfrac{12 \, カ月}{19 \, カ月} = 48,000千円$

　　返済期日が翌期中に到来するため、1年基準を適用して流動項目として取扱う。

＊2 $76,000千円 \times \dfrac{7\,カ月}{19\,カ月} = 28,000千円$

返済期日が翌々期以降に到来するため、1年基準を適用して固定項目として取扱う。

(2) D通信株式会社

（借　　　入　　　金）	34,000	（1年以内返済長期借入金）＊	34,000

＊　返済期日が翌期中に到来するため、1年基準を適用して流動項目として取扱う。

(3) E取締役

（借　　　入　　　金）	63,000	（短　期　借　入　金）＊	63,000

＊　返済期日が翌期中に到来するため、1年基準を適用して流動項目として取扱う。

なお、当該借入金は、当期中に借入れ、翌期中に債務全体の返済が完了するため、「短期借入金」として流動負債に表示する。

14. 引当金

(1) 貸倒引当金

① 一般債権

（貸　倒　引　当　金）	1,545	（貸倒引当金戻入額）	1,545
（貸倒引当金繰入額）　＊	6,180	（貸　倒　引　当　金） ＜流　動　資　産＞	6,180

＊　受取手形：$\underline{156,000千円}$（＝$\underline{186,000千円}-\underline{18,000千円}-\underline{12,000千円}$）×2％＝3,120千円
　　　　　　　　　　　試算表　　　不渡手形　　破産更生債権等

　　　売掛金：$89,000千円$（＝$\underline{134,000千円}-\underline{25,000千円}-\underline{20,000千円}$）×2％＝1,780千円
　　　　　　　　　　　試算表　　破産更生債権等　　未収金

　　　短期貸付金：$\underline{64,000千円}$　　　　　　　　　　　　　×2％＝$\underline{1,280千円}$
　　　　　　　　計　309,000千円　　　　　　　　　　　　　　計　6,180千円

※　損益計算書表示

販売費及び一般管理費：$(6,180千円-1,545千円) \times \dfrac{156,000\,千円+89,000\,千円}{309,000\,千円}$

$=3,675千円$

営業外費用：$(6,180千円-1,545千円) \times \dfrac{64,000\,千円}{309,000\,千円} = 960千円$

② 貸倒懸念債権（不渡手形）

（貸倒引当金繰入額）　＊ ＜販売費及び一般管理費＞	9,000	（貸　倒　引　当　金） ＜投資その他の資産＞	9,000

＊　18,000千円×50％＝9,000千円

※　原因債権が営業債権であるため、当該債権に係る貸倒引当金繰入額は販売費及び一般管理費に表示することとなる。

③ 破産更生債権等

（貸倒引当金繰入額）　＊　27,000 ＜特　別　損　失＞	（貸　倒　引　当　金）　　27,000 ＜投資その他の資産＞

＊　（12,000千円＋25,000千円）－　10,000千円　＝27,000千円
保証回収見込額

※　問題の指示により、当該債権に係る貸倒引当金繰入額は特別損失に表示することとなる。

(2) 修繕引当金

（修 繕 引 当 金 繰 入 額）　　2,000	（修　繕　引　当　金）　　2,000

(3) 退職給付引当金

① 期中処理の修正

（退 職 給 付 引 当 金）　＊　25,500	（退 職 給 付 費 用）　　25,500

＊　12,500千円＋13,000千円＝25,500千円
一時金　　掛金

② 当期負担額の繰入

（退 職 給 付 費 用）　＊　27,490	（退 職 給 付 引 当 金）　　27,490

＊　勤務費用　　　　　　　　　　　　　　　　　　　　23,000千円

利息費用　　　　　　450,000千円×1.5%　＝　　6,750千円

期待運用収益　　　　220,000千円×1.3%　＝（△）2,860千円

数理計算上の差異の費用処理額　　9,000千円×$\frac{1年}{15年}$　＝　　600千円

計　　27,490千円

15. 受取利息配当金

（法人税、住民税及び事業税）　　7,000	（受 取 利 息 配 当 金）　　7,000

16. 税　金

（法人税、住民税及び事業税）　＊1　37,500	（未 払 法 人 税 等）　　39,000
（租　　税　　公　　課）　＊2　1,500	

＊1　(1)　96,000千円－56,000千円－7,000千円＝33,000千円（法人税及び住民税の未納額）
年税額　　　中間納付額　　源泉税

(2)　(14,000千円－3,500千円)－(8,000千円－2,000千円)
年税額　　　　　　　　　中間納付額

＝4,500千円（事業税（所得割分）の未納額）

(3)　(1)＋(2)＝37,500千円

＊2　3,500千円－2,000千円＝1,500千円（事業税（外形基準分）の未納額）
年税額　　中間納付額

17. 役員退職慰労積立金

（役員退職慰労積立金）	28,000	（繰越利益剰余金）	28,000

18. 税効果会計

（1）前期分

（法 人 税 等 調 整 額）	91,065	（繰 延 税 金 資 産） ＜試 算 表＞	91,065

（2）当期分

（繰 延 税 金 資 産）	＊ 97,695	（法 人 税 等 調 整 額）	97,695

　＊　250,500千円×39％＝97,695千円

　※　なお、「その他有価証券」の評価差額に係る税効果については、上記4参照。

（3）財務諸表表示

　① 貸借対照表表示（繰延税金資産）

　　投資その他の資産　97,695千円－780千円＋312千円＝97,227千円
　　　　　　　　　　　上記(2)　　　その他有価証券

　② 損益計算書表示（法人税等調整額）

　　97,695千円－91,065千円＝6,630千円（法人税、住民税及び事業税から減算）
　　上記(2)　　　上記(1)

19. 繰越利益剰余金

　27,680千円＋　28,000千円　＋91,155千円＝146,835千円
　試算表　　役員退職慰労積立金の取崩　当期純利益

※ □で囲まれた数字は配点を示す。

1

貸 借 対 照 表

斎藤株式会社　　　　　　　　X31年7月31日　　　　　　　　（単位：千円）

科　目		金　額	科　目		金　額
資 産 の 部			負 債 の 部		
I 流 動 資 産		(1,651,185)	I 流 動 負 債		(746,580)
現 金 及 び 預 金	①	209,905	支 払 手 形	①	163,000
受 取 手 形	①	405,000	買 掛 金	①	282,900
貸 倒 引 当 金		△ 8,100	短 期 借 入 金	①	21,800
売 掛 金	①	804,000	1年以内返済長期借入金	①	125,500
貸 倒 引 当 金	①△	16,080	未 払 法 人 税 等	①	80,300
製 品	①	99,750	未 払 消 費 税 等	①	23,500
材 料	①	40,750	預 り 金		24,300
仕 掛 品	①	77,500	賞 与 引 当 金	①	25,280
未 収 金	①	21,000	II 固 定 負 債		(670,000)
短 期 貸 付 金		2,000	社 債		257,500
貸 倒 引 当 金	①△	40	退 職 給 付 引 当 金	①	287,500
短期固定資産売却受取手形	①	15,500	役 員 退 職 慰 労 引 当 金	①	125,000
II 固 定 資 産		(1,590,681)	負 債 の 部 合 計		1,416,580
1 有 形 固 定 資 産		(1,112,944)	純 資 産 の 部		
建 物	①	641,600	I 株 主 資 本		(1,827,536)
機 械 装 置	①	270,000	1 資 本 金		700,000
車 両 運 搬 具	①	50,500	2 資 本 剰 余 金		(130,000)
器 具 備 品	①	44,144	(1) 資 本 準 備 金		130,000
土 地		106,700	3 利 益 剰 余 金		(1,005,536)
2 無 形 固 定 資 産		(37,825)	(1) 利 益 準 備 金		43,000
商 標 権	①	14,125	(2) その他利益剰余金		(962,536)
借 地 権		23,700	別 途 積 立 金		652,772
3 投資その他の資産		(439,912)	繰 越 利 益 剰 余 金		309,764
投 資 有 価 証 券	①	100,050	4 自 己 株 式	①△	8,000

（次頁に続く）

長 期 預 金	1	1,200	II 評価・換算差額等			(	150)
長 期 未 収 金	1	24,000	1 その他有価証券評価差額金			1	150
長 期 貸 付 金	1	112,500					
貸 倒 引 当 金	△	2,250					
破 産 更 生 債 権 等	1	25,000					
貸 倒 引 当 金	△	6,000					
繰 延 税 金 資 産	1	185,412					
III 繰 延 資 産	(	2,400)					
社 債 発 行 費	1	2,400	純 資 産 の 部 合 計				1,827,686
資 産 の 部 合 計		3,244,266	負債及び純資産の部合計				3,244,266

問題
4

解答

損 益 計 算 書

自 X30年8月1日

斎藤株式会社　　至　X31年7月31日　（単位：千円）

科　　　目	金	額
Ⅰ　売　上　高		3,614,000
Ⅱ　売　上　原　価	[1]	1,970,162
売 上 総 利 益		1,643,838
Ⅲ　販売費及び一般管理費		1,246,372
営　業　利　益		397,466
Ⅳ　営 業 外 収 益		
受　取　利　息	1,800	
有 価 証 券 利 息	2,200	
受 取 配 当 金	1,500	
仕　入　割　引	13,500	
雑　　収　　入	8,250	27,250
Ⅴ　営 業 外 費 用		
支　払　利　息	13,520	
社　債　利　息	1,200	
社 債 発 行 費 償 却	[1]　　600	
貸 倒 引 当 金 繰 入 額	[1]　1,849	
雑　　損　　失	[1]　9,095	26,264
経　常　利　益		398,452
Ⅵ　特　別　利　益		
固 定 資 産 売 却 益	12,000	12,000
Ⅶ　特　別　損　失		
固 定 資 産 売 却 損	[1]　2,000	2,000
税 引 前 当 期 純 利 益		408,452
法人税、住民税及び事業税	[1] 155,000	
法 人 税 等 調 整 額	[1]△17,312	137,688
当　期　純　利　益		270,764

＜貸借対照表等に関する注記＞

1．長期預金全額を当座借越契約の担保に供している。　[1]
2．有形固定資産から減価償却累計額613,756千円が控除されている。[1]
3．受取手形裏書譲渡高　30,000千円　[1]
4．関係会社に対する金銭債権は次のとおりである。
受取手形　10,000千円　　売掛金　89,000千円　[1]
5．取締役に対する金銭債権が4,000千円ある。[1]
6．取締役に対する金銭債務が5,000千円ある。[1]

製造原価報告書

自　X30年8月1日

斎藤株式会社　　　至　X31年7月31日　（単位：千円）

科　　　目	金	額
Ⅰ　材　　料　　費		
期 首 材 料 棚 卸 高	35,000	
当 期 材 料 仕 入 高	976,000	
合　　　計	1,011,000	
期 末 材 料 棚 卸 高	43,750	
当　期　材　料　費		[1] 967,250
Ⅱ　労　　務　　費		
賞 与 引 当 金 繰 入 額	17,696	
退 職 給 付 費 用	26,250	
そ の 他 労 務 費	510,000	
当　期　労　務　費		[1] 553,946
Ⅲ　経　　　　費		
材 料 減 耗 損	[1]　3,000	
減 価 償 却 費	104,616	
そ の 他 経 費	377,600	
当　期　経　費		[1] 485,216
当 期 総 製 造 費 用		2,006,412
期 首 仕 掛 品 棚 卸 高		62,000
合　　　計		2,068,412
期 末 仕 掛 品 棚 卸 高		77,500
当 期 製 品 製 造 原 価		1,990,912

【配　点】　[1]×50カ所　　合計50点

解答への道 （仕訳の単位：千円）

1 現金及び預金

(1) 現金過不足

（買　　　掛　　　金）	300	（現 金 及 び 預 金）　＊	395
（雑　　　損　　　失）	95		

＊ <u>1,695千円</u> － <u>1,300千円</u> ＝395千円
　現金出納帳　　現金実際有高

(2) 菊水銀行当座預金

① 未渡小切手

（現 金 及 び 預 金）	1,200	（買　　　掛　　　金）	1,200

※ 未取付の当座小切手は、当社帳簿残高の修正項目ではないことに留意する。

② 当座借越

（現 金 及 び 預 金）	300	（短 期 借 入 金）	300

(3) 北雪銀行定期預金

（長 　期 　預 　金）　＊	1,200	（現 金 及 び 預 金）	1,200

＊ 満期日が翌々期以降であるため、1年基準を適用して固定項目として取扱う。

注記　担保提供資産につき貸借対照表等に関する注記が必要である。

2 営業債権

(1) 関係会社（親会社）に対するもの

注記　関係会社に対する金銭債権につき貸借対照表等に関する注記が必要である。

(2) 新宿株式会社に対する受取手形

（短期固定資産売却受取手形）　＊	15,500	（受　　取　　手　　形）	15,500

＊ 決済日が翌期であるため、1年基準を適用して流動項目として取扱う。

(3) 裏書譲渡した受取手形

（買　　　掛　　　金）	30,000	（受　　取　　手　　形）	30,000

注記　受取手形裏書譲渡高につき貸借対照表等に関する注記が必要である。

(4) 横浜株式会社に対する売掛金

（破 産 更 生 債 権 等）　＊ ＜投資その他の資産＞	25,000	（売　　　掛　　　金）	25,000

＊ 民事再生法の規定に基づく再生計画の開始申立てを行った会社に対する債権であるため、「破産更生債権等」として独立科目表示する。また、問題文に「回収に長期間を要するものと認められる。」とあるため、投資その他の資産に表示する。

問題
4
解答

3　有価証券

(1) 当社株式（自己株式）

（自 己 株 式） <株主資本の控除項目 >	8,000	（有 価 証 券）	8,000

(2) 多田株式会社株式（市場価格のあるその他有価証券）

（投 資 有 価 証 券）　*1	6,500	（有 価 証 券）	6,800
（繰 延 税 金 資 産）　*2	120		
（その他有価証券評価差額金）　*2	180		

*1　売買目的の株式及び関係会社の株式に該当しないため、「投資有価証券」として投資その他の資産に表示する。

*2　評価差額：(6,800千円－6,500千円)＝300千円
　　　　　　　　帳簿価額　　B/S 価額

　　繰延税金資産：300千円×40％＝120千円
　　　　　　　　　評価差額

　　その他有価証券評価差額金：300千円－　120千円　＝180千円
　　　　　　　　　　　　　　　評価差額　繰延税金資産

(3) 信澤株式会社社債（市場価格のあるその他有価証券）

（投 資 有 価 証 券）　*1	58,150	（有 価 証 券）	58,500
（繰 延 税 金 資 産）　*2	140		
（その他有価証券評価差額金）　*2	210		

*1　売買目的及び1年以内に償還期日の到来する社債その他の債券に該当しないため、「投資有価証券」として投資その他の資産に表示する。

*2　評価差額：(58,500千円－58,150千円)＝350千円
　　　　　　　　帳簿価額　　B/S 価額

　　繰延税金資産：350千円×40％＝140千円
　　　　　　　　　評価差額

　　その他有価証券評価差額金：350千円－　140千円　＝210千円
　　　　　　　　　　　　　　　評価差額　繰延税金資産

(4) 平嶋株式会社株式（市場価格のあるその他有価証券）

（投 資 有 価 証 券）　*1	35,400	（有 価 証 券）	34,500
		（繰 延 税 金 負 債）　*2	360
		（その他有価証券評価差額金）　*2	540

*1　売買目的の株式及び関係会社の株式に該当しないため、「投資有価証券」として投資その他の資産に表示する。

＊2　評価差額：(35,400千円－34,500千円)＝900千円
　　　　　　　　 B/S価額　　　帳簿価額

　　　繰延税金負債：900千円×40％＝360千円
　　　　　　　　　　 評価差額

　　　その他有価証券評価差額金：900千円－　360千円　＝540千円
　　　　　　　　　　　　　　　　 評価差額　　繰延税金負債

4　棚卸資産

(1) 製品

（期首製品棚卸高）	83,000	（製　　　　品）		83,000
（製　品　減　耗　損）＊ <販売費及び一般管理費>	4,000	（期末製品棚卸高）		103,750
（製　　　　品）	99,750			

　　＊　103,750千円－99,750千円＝4,000千円
　　　　 帳簿棚卸高　　実地棚卸高

(2) 材料

（期首材料棚卸高）	35,000	（材　　　　料）		35,000
（当期材料仕入高）	976,000	（材　料　仕　入）		976,000
（材　料　減　耗　損）＊ <製　造　経　費>	3,000	（期末材料棚卸高）		43,750
（材　　　　料）	40,750			

　　＊　43,750千円－40,750千円＝3,000千円
　　　　 帳簿棚卸高　　実地棚卸高

(3) 仕掛品

（期首仕掛品棚卸高）	62,000	（仕　　掛　　品）		62,000
（仕　　掛　　品）	77,500	（期末仕掛品棚卸高）		77,500

　　※　売上原価の金額

　　　　 83,000千円　＋1,990,912千円（注）－　103,750千円　＝1,970,162千円
　　　期首製品棚卸高　当期製品製造原価　　 期末製品棚卸高

　　　（注）当期製品製造原価については解答参照。

5　仮払金

(1) 法人税・住民税・事業税の中間納付額

（法人税、住民税及び事業税）	74,700	（仮　　払　　金）	74,700

(2) 役員に対する退職慰労金

（役員退職慰労引当金）	30,000	（仮　　払　　金）	30,000

6 貸付金

(1) 真鶴株式会社に対する貸付金

（長 期 貸 付 金）	＊ 50,000	（貸 付 金）	50,000

＊　返済期日が翌々期以降であるため、1年基準を適用して固定項目として取扱う。

(2) 取締役桜川氏に対する貸付金

（短 期 貸 付 金）	＊ 2,000	（貸 付 金）	4,000
（長 期 貸 付 金）	＊ 2,000		

＊　1年基準を適用して、翌期決済分は流動項目として、翌々期決済分は固定項目として取扱う。

注記　取締役に対する金銭債権につき貸借対照表等に関する注記が必要である。

(3) 調布株式会社に対する貸付金

（長 期 貸 付 金）	＊ 60,500	（貸 付 金）	60,500

＊　決済日が翌々期以降であるため、1年基準を適用して固定項目として取扱う。

7 未収金

（長 期 未 収 金）	＊ 24,000	（未 収 金）	24,000

＊　決済日が翌々期以降であるため、1年基準を適用して固定項目として取扱う。

8 有形固定資産

(1) 建物

（減 価 償 却 費） ＜製 造 経 費＞	＊1 8,640	（減 価 償 却 累 計 額）	14,400
（減 価 償 却 費） ＜販売費及び一般管理費＞	＊2 5,760		

＊1　800,000千円×0.9×0.020×60％＝8,640千円

＊2　800,000千円×0.9×0.020×40％＝5,760千円

(2) 機械装置

（減 価 償 却 費） ＜製 造 経 費＞	＊ 90,000	（減 価 償 却 累 計 額）	90,000

＊　（640,000千円－280,000千円）×0.250×100％＝90,000千円

(3) 車両運搬具

① 売却分

（減 価 償 却 累 計 額）	2,250	（車 両 運 搬 具）	20,000
（減 価 償 却 費） ＜販売費及び一般管理費＞	＊ 750		
（仮 受 金）	15,000		
（固 定 資 産 売 却 損）	2,000		

$*$　$20,000千円 \times 0.9 \times 0.125 \times \dfrac{4 \, カ月}{12 \, カ月} = 750千円$

②　残存分

（減 価 償 却 費） ＜販売費及び一般管理費＞	$*$	11,250	（減 価 償 却 累 計 額）	11,250

$*$　$(120,000千円 - 20,000千円) \times 0.9 \times 0.125 = 11,250千円$

(4) 器具備品

（減 価 償 却 費） ＜製　造　経　費＞	$*$	5,976	（減 価 償 却 累 計 額）	11,952
（減 価 償 却 費） ＜販売費及び一般管理費＞	$*$	5,976		

$*$　$80,000千円 \times 0.9 \times 0.166 \times 50\% = 5,976千円$

(5) 貸借対照表

建　　物：$\underset{T/B}{800,000千円} - \underset{減価償却累計額}{158,400千円} = 641,600千円$

機械装置：$\underset{T/B}{640,000千円} - \underset{減価償却累計額}{370,000千円} = 270,000千円$

車両運搬具：$\underset{T/B}{120,000千円} - \underset{売却分}{20,000千円} - \underset{減価償却累計額}{49,500千円} = 50,500千円$

器具備品：$\underset{T/B}{80,000千円} - \underset{減価償却累計額}{35,856千円} = 44,144千円$

※　減価償却累計額

建　　物：$\underset{T/B}{144,000千円} + \underset{当期計上分}{14,400千円} = 158,400千円$

機械装置：$\underset{T/B}{280,000千円} + \underset{当期計上分}{90,000千円} = 370,000千円$

車両運搬具：$\underset{T/B}{40,500千円} - \underset{売却分}{2,250千円} + \underset{当期計上分}{11,250千円} = 49,500千円$

器具備品：$\underset{T/B}{23,904千円} + \underset{当期計上分}{11,952千円} = 35,856千円$

$\underset{建物}{158,400千円} + \underset{機械装置}{370,000千円} + \underset{車両運搬具}{49,500千円} + \underset{器具備品}{35,856千円} = 613,756千円$

注記　問題文の指示により有形固定資産から控除されている減価償却累計額につき貸借対照表等に関する注記が必要である。

9　商標権

（商 標 権 償 却）	$*$	875	（商 　 標 　 権）	875

$*$　$15,000千円 \times \dfrac{7 \, カ月}{10 \, 年 \times 12 \, カ月} = 875千円$

問題 4 解答

10 繰延資産（社債発行費）

（社債発行費償却）	＊	600	（社　債　発　行　費）	600

$$\text{＊}\quad 3{,}000\text{千円} \times \frac{12\text{カ月}}{6\text{年} \times 12\text{カ月} - 12\text{カ月}} = 600\text{千円}$$

11 支払手形

（支　払　手　形）	16,500	（短　期　借　入　金）	＊	16,500

＊　資金の借入の際に振り出した手形は、実質に着目し、借入金として取扱う。

　　なお、当該手形は当期中に振り出し、翌期中にすべて決済されるため、短期借入金として流動負債に表示する。

12 借入金

(1) 新谷取締役

（借　　　入　　　金）	5,000	（短　期　借　入　金）	＊	5,000

＊　当該借入金は当期中に借入、翌期中に債務全体の返済が完了するため、短期借入金として流動負債に表示する。

注記　取締役に対する金銭債務につき貸借対照表等に関する注記が必要である。

(2) 大阪四菱銀行

（借　　　入　　　金）	125,500	（1年以内返済長期借入金）	＊	125,500

＊　当該借入金は、翌期中に返済されるが借入が前期以前に行われているため、「1年以内返済長期借入金」として流動負債に表示する。

13 引当金

(1) 貸倒引当金

① 一般債権

（貸倒引当金繰入額） ＜販売費及び一般管理費＞	＊1	19,527	（貸　倒　引　当　金）	21,376
（貸倒引当金繰入額） ＜営　業　外　費　用＞	＊2	1,849		

＊1　営業債権

イ　戻入額

　　4,653千円

ロ　繰入額

受　取　手　形：(450,500千円 － 15,500千円 － 30,000千円) × 2％ ＝ 8,100千円
（親会社分含む）　　　T/B　　　　営外手形　　裏書手形

売　　掛　　金：(829,000千円 － 25,000千円)　　　　　× 2％ ＝ 16,080千円
（親会社分含む）　　　T/B　　　破産更生債権等

合計：24,180千円

－124－

ハ　ロ－イ＝19,527千円

＊2　営業外債権

イ　戻入額

441千円

ロ　繰入額

短 期 貸 付 金：2,000千円　　　　　　　　　　　　×2％＝　　40千円

長 期 貸 付 金：(2,000千円＋50,000千円＋60,500千円)×2％＝2,250千円
　　　　　　　　　　役員　　　　真鶴社　　　調布社

合計：2,290千円

ハ　ロ－イ＝1,849千円

② 破産更生債権等（横浜株式会社に対する売掛金）

（貸 倒 引 当 金 繰 入 額） <販売費及び一般管理費>	＊	6,000	（貸 倒 引 当 金）	6,000

＊　25,000千円－19,000千円＝6,000千円
　　　債権額　　債務保証額

(2) 賞与引当金

（賞 与 引 当 金 繰 入 額） <製 造 労 務 費>	＊1	17,696	（賞 与 引 当 金）	25,280
（賞 与 引 当 金 繰 入 額） <販売費及び一般管理費>	＊2	7,584		

＊1　　25,280千円×70％＝17,696千円

＊2　　25,280千円×30％＝7,584千円

(3) 退職給付引当金

（退 職 給 付 費 用） <製 造 労 務 費>	＊1	26,250	（退 職 給 付 引 当 金）	37,500
（退 職 給 付 費 用） <販売費及び一般管理費>	＊2	11,250		

＊1　　(31,800千円＋7,000千円－　2,000千円　＋　700千円)×70％＝26,250千円
　　　　勤務費用　　利息費用　期待運用収益　数理差異

＊2　　(31,800千円＋7,000千円－　2,000千円　＋　700千円)×30％＝11,250千円
　　　　勤務費用　　利息費用　期待運用収益　数理差異

(4) 役員退職慰労引当金

（役員退職慰労引当金繰入額）	35,000	（役員退職慰労引当金）	＊	35,000

＊　125,000千円－(120,000千円－30,000千円)＝35,000千円
　　B/S価額　　　T/B　　　　当期支払

14 税金

(1) 法人税、住民税及び事業税

（法人税、住民税及び事業税）	80,300	（未 払 法 人 税 等）	＊ 80,300

＊ <u>69,800千円</u> ＋<u>10,500千円</u>＝80,300千円
　　法人税及び住民税　　事業税

(2) 消費税等

（仮 受 消 費 税 等）	175,500	（仮 払 消 費 税 等）	152,000
		（未 払 消 費 税 等）	23,500

15 税効果会計

(1) 前期分

（法 人 税 等 調 整 額）	168,200	（繰 延 税 金 資 産） ＜試　　算　　表＞	168,200

(2) 当期分

（繰 延 税 金 資 産）	＊ 185,512	（法 人 税 等 調 整 額）	185,512

＊　463,780千円×40％＝185,512千円

(3) 財務諸表表示

損益計算書表示（法人税等調整額）

<u>185,512千円</u>－<u>168,200千円</u>＝17,312千円（貸方残　∴法人税、住民税及び事業税から減算）
　上記(2)　　　　　上記(1)

貸借対照表表示（繰延税金資産）

投資その他の資産　<u>185,512千円</u>＋<u>120千円＋140千円－360千円</u>＝185,412千円
　　　　　　　　　　上記(2)　　　　　その他有価証券

16 その他

(1) 給料手当

（給 料 手 当） ＜販売費及び一般管理費＞	625,000	（給 料 手 当） ＜試　　算　　表＞	625,000

(3) 販売費及び一般管理費の明細

（単位：千円）

科　　　　　　　　　目	金　　　額
給　　料　　手　　当	625,000
役員退職慰労引当金繰入額	35,000
製　品　減　耗　損	4,000
減　価　償　却　費	23,736
商　標　権　償　却	875
貸　倒　引　当　金　繰　入　額	25,527
賞　与　引　当　金　繰　入　額	7,584
退　職　給　付　費　用	11,250
その他販売費・管理費	513,400
合　　　　　計	1,246,372

(4) 繰越利益剰余金

<u>39,000千円</u>＋<u>270,764千円</u>＝309,764千円
　　T/B　　　　当期純利益

※ 　□で囲まれた数字は配点を示す。

貸 借 対 照 表

幡代商事株式会社　　　　　　×28年3月31日現在　　　　　　　（単位：千円）

科　　　　　目	金　　　額	科　　　　　目	金　　　額
資 産 の 部		負 債 の 部	
流 動 資 産	（ 887,216）	流 動 負 債	（ 589,658）
現 金 及 び 預 金	② 88,656	支 払 手 形	198,000
受 取 手 形	242,000	買 掛 金	180,516
売 掛 金	331,500	短 期 借 入 金	② 24,900
〔有 価 証 券〕	② 31,000	未 払 金	30,000
商 品	179,500	未 払 法 人 税 等	67,300
短 期 貸 付 金	② 20,500	未 払 消 費 税 等	54,142
貸 倒 引 当 金	△ 5,940	修 繕 引 当 金	2,700
固 定 資 産	（ 1,479,003）	賞 与 引 当 金	12,000
有 形 固 定 資 産	（ 1,213,770）	〔役 員 賞 与 引 当 金〕	20,000
建 物	362,150	〔保 証 債 務〕	② 100
車 両 運 搬 具	65,855	固 定 負 債	（ 640,738）
器 具 備 品	② 37,171	社 債	198,638
土 地	② 562,700	長 期 借 入 金	271,400
建 設 仮 勘 定	185,894	退 職 給 付 引 当 金	② 100,700
無 形 固 定 資 産	（ 15,290）	〔長 期 未 払 金〕	② 70,000
の れ ん	6,400	負 債 合 計	1,230,396
商 標 権	② 5,250	純 資 産 の 部	
共 同 施 設 負 担 金	② 3,640	株 主 資 本	（ 1,361,018）
投資その他の資産	（ 249,943）	資 本 金	900,800
投 資 有 価 証 券	32,280	資 本 剰 余 金	（ 76,000）
関 係 会 社 株 式	68,370	資 本 準 備 金	76,000
長 期 預 金	12,800	利 益 剰 余 金	（ 384,218）
長 期 貸 付 金	87,900	利 益 準 備 金	② 149,200
繰 延 税 金 資 産	② 49,472	その他利益剰余金	（ 235,018）

（次頁に続く）

貸 倒 引 当 金		△　　　879	別 途 積 立 金		141,100
繰 延 資 産		（　　227,067）	繰 越 利 益 剰 余 金		93,918
社 債 発 行 費		1,667	評価・換算差額等		（　　1,872）
開 発 費		225,400	その他有価証券評価差額金	②	1,872
			純 資 産 合 計		1,362,890
資 産 合 計		2,593,286	負債及び純資産合計		2,593,286

損 益 計 算 書

幡代商事　　　　自　×27年4月1日
株式会社　　　　至　×28年3月31日（単位：千円）

摘　　要	金　　額	
売 上 高		2,665,600
売 上 原 価		
期首商品棚卸高	186,000	
当期商品仕入高	1,360,000	
〔 合併引継商品 〕	200,000	
合 計	1,746,000	
〔 器具備品振替高 〕	10,000	
〔 期末商品棚卸高 〕 ②	202,000	
差 引	1,534,000	
〔 商 品 減 耗 損 〕	2,500	1,536,500
売 上 総 利 益		1,129,100
販売費及び一般管理費		
給 料 手 当	320,000	
租 税 公 課	24,090	
減 価 償 却 費	62,910	
の れ ん 償 却	1,600	
商 標 権 償 却	1,500	
〔 共同施設負担金償却 〕	560	
〔 開 発 費 償 却 〕	56,350	
貸倒引当金繰入額 ②	5,169	
修繕引当金繰入額	2,700	
賞与引当金繰入額 ②	12,000	
〔 役員賞与引当金繰入額 〕	20,000	
退 職 給 付 費 用	12,500	
その他の販売管理費	512,558	1,031,937
営 業 利 益		97,163

摘　　要	金　　額	
営 業 外 収 益		
受 取 利 息	8,800	
有 価 証 券 利 息	3,000	
受 取 配 当 金	10,840	
〔 修繕引当金戻入額 〕 ②	200	
雑 収 入	5,940	28,780
営 業 外 費 用		
支 払 利 息	14,100	
社 債 利 息 ②	6,038	
社 債 発 行 費 償 却	833	
〔 有 価 証 券 評 価 損 〕	240	
〔 為 替 差 損 〕 ②	12,880	
〔 手 形 売 却 損 〕 ②	100	
雑 損 失	8,014	42,205
経 常 利 益		83,738
特 別 利 益		
固 定 資 産 売 却 益	95,600	95,600
特 別 損 失		
〔 商 品 評 価 損 〕 ②	20,000	
〔 投資有価証券評価損 〕 ②	6,000	26,000
税引前当期純利益		153,338
法人税、住民税及び事業税	106,000	
法 人 税 等 調 整 額	1,880 ②	107,880
当 期 純 利 益		45,458

＜貸借対照表等に関する注記＞

①	関係会社に対する金銭債権は次のとおりである。			
	短期金銭債権　　20,500千円　　長期金銭債権　　61,500千円　　①			
②	関係会社に対する長期金銭債務が115,400千円ある。　　　　　①			

【配　点】　① ×2カ所　② ×24カ所　　合計50点

解答への道 （仕訳の単位：千円）

1. 繰越利益剰余金の処分

（繰越利益剰余金）	66,000	（利 益 準 備 金）	＊	4,000
		（仮 払 金）		40,000
		（別 途 積 立 金）		22,000

＊① $\underset{\text{配当金}}{40,000千円} \times \dfrac{1}{10} = 4,000千円$

② $\underset{\text{資本金}}{900,800千円} \times \dfrac{1}{4} - (\underset{\text{資本準備金}}{76,000千円} + \underset{\text{利益準備金}}{143,450千円}) = 5,750千円$

③ ①＜② ∴ 4,000千円

2. 現金及び預金

(1) 当座借越

（当 座 借 越）	2,100	（短 期 借 入 金）	2,100

(2) ドル紙幣

（現 金 及 び 預 金）	900	（為 替 差 益）	＊	900

＊ $\underset{\text{B/S価額}}{50,000ドル \times 120円／ドル} - \underset{\text{帳簿価額}}{5,100千円} = 900千円$

(3) 神谷銀行定期預金

（長 期 預 金）	＊	12,800	（現 金 及 び 預 金）	12,800

＊ 満期日が翌々期以降であるため、1年基準を適用して固定項目として取扱う。

3. 受取手形

（買 掛 金）	3,000	（受 取 手 形）	3,000
（手 形 売 却 損） ＜営 業 外 費 用＞	100	（保 証 債 務） ＜流 動 負 債＞	100

4. 有価証券

(1) 西原物産株式会社株式（売買目的有価証券）

（有 価 証 券） ＜流 動 資 産＞	＊	13,200	（有 価 証 券） ＜試 算 表＞	12,900
			（有価証券評価益） ＜営 業 外 収 益＞	300

＊ 売買目的の株式であるため、「有価証券」として流動資産に表示する。

(2) 本町商事株式会社社債（市場価格のないその他有価証券）

（有 価 証 券） ＜流 動 資 産＞	＊	7,000	（有 価 証 券） ＜試 算 表＞	7,000

＊ 売買目的ではないが、1年以内に満期の到来する社債その他の債券であるため、「有価証券」の科目として流動資産に表示する。

(3) 代々木物流株式会社株式（子会社株式）

（関 係 会 社 株 式）	＊	68,370	（有 価 証 券）		68,370

　＊　当社は、同社の議決権の60％を所有するため、同社は当社の関係会社（子会社）に該当する。関係会社（子会社）が発行する株式は、「関係会社株式」として投資その他の資産に表示する。

(4) 松濤工業株式会社株式（市場価格のないその他有価証券）

（投 資 有 価 証 券）	＊	4,200	（有 価 証 券）		10,200
（投資有価証券評価損） ＜特 別 損 失＞		6,000			

　＊　売買目的の株式でもなく、関係会社の株式でもないため、「投資有価証券」として投資その他の資産に表示する。

(5) ＰＭ株式会社株式（売買目的有価証券）

（有 価 証 券） ＜流 動 資 産＞	＊	10,800	（有 価 証 券） ＜試 算 表＞		11,340
（有 価 証 券 評 価 損） ＜営 業 外 費 用＞		540			

　＊　90,000ドル×120円／ドル＝10,800千円（B/S価額）
　　　外貨時価　　決算日レート

　　　なお、当該株式は、売買目的の株式であるため、「有価証券」として流動資産に表示する。

(6) ＪＬ株式会社社債（市場価格のあるその他有価証券）

（投 資 有 価 証 券）	＊1	28,080	（有 価 証 券）		24,960
			（繰 延 税 金 負 債）	＊2	1,248
			（その他有価証券評価差額金）	＊3	1,872

　＊1　234,000ドル×120円／ドル＝28,080千円（B/S価額）
　　　　外貨時価　　決算日レート

　　　　なお、当該社債は、売買目的ではなく、1年を越えて満期の到来する社債その他の債券であるため、「投資有価証券」として投資その他の資産に表示する。

　＊2　（28,080千円－24,960千円）×40％＝1,248千円
　　　　評価差額

　＊3　（28,080千円－24,960千円）－1,248千円＝1,872千円
　　　　評価差額

５．仕　入

（合 併 引 継 商 品）	200,000	（仕 入）		200,000

6．商 品

（期 首 商 品 棚 卸 高）	186,000		（商　　　　品）		186,000
（当 期 商 品 仕 入 高）	1,360,000		（仕　　　　入）*1		1,360,000
（器　具　備　品）*2	10,000		（器 具 備 品 振 替 高）		10,000
（商　品　減　耗　損） <売上原価の内訳>	2,500		（期 末 商 品 棚 卸 高）*3		202,000
（商　品　評　価　損） <特　別　損　失>	20,000				
（商　　　　品）*4	179,500				

* 1　 1,560,000千円 － 200,000千円 ＝ 1,360,000千円
　　　　試算表　　　合併引継商品

* 2　 212,000千円 － 199,500千円 － 2,500千円 ＝ 10,000千円
　　　帳簿棚卸高　　実地棚卸高　　商品減耗損

* 3　 212,000千円 － 10,000千円 ＝ 202,000千円
　　　帳簿棚卸高　　器具備品

　　　なお、減価償却費の計上は下記9（3）を参照すること。

* 4　 199,500千円 － 20,000千円 ＝ 179,500千円
　　　実地棚卸高　　商品評価損

7．貸付金

（1）RS株式会社に対する貸付金

（長　期　貸　付　金）　*	26,400	（貸　　付　　金）		22,880
		（為　替　差　益）		3,520

*　 220,000ドル × 120円／ドル ＝ 26,400千円 （B/S価額）
　　　外貨額　　　決算日レート

　　　なお、当該貸付金は、返済日が翌々期以降であるため、1年基準を適用して固定項目として取り扱う。

（2）代々木物流株式会社（子会社）に対する貸付金

（短　期　貸　付　金）*1	20,500	（貸　　付　　金）		82,000
（長　期　貸　付　金）*2	61,500			

* 1　 $82{,}000千円 \times \dfrac{1年}{4年} = 20{,}500千円$

* 2　 $82{,}000千円 \times \dfrac{3年}{4年} = 61{,}500千円$

※　×28年9月30日から毎期均等額返済の契約であるため、1年以内に返済期日が到来する×28年9月30日返済分の20,500千円を「短期貸付金」として流動資産に表示する。

注記　関係会社に対する金銭債権につき貸借対照表等に関する注記が必要である。

8．仮払金

(1) 配当金の支払額については上記1を参照すること。

(2) 役員賞与

（役員賞与引当金）	22,500	（仮 払 金）	22,500

(3) 中間配当

（繰越利益剰余金）	36,750	（仮 払 金）	35,000
		（利 益 準 備 金）＊	1,750

＊① $\underset{\text{中間配当額}}{35,000\text{千円}} \times \dfrac{1}{10} = 3,500\text{千円}$

② $900,800\text{千円} \times \dfrac{1}{4} - \{\underset{\text{資本準備金}}{76,000\text{千円}} + (\underset{\text{利益準備金}}{143,450\text{千円} + 4,000\text{千円}})\} = 1,750\text{千円}$

③ ①＞② ∴ 1,750千円

※ 上記1で利益準備金が増加していることに留意すること。

(4) 前期に係る法人税及び住民税の当期確定申告納付額

（未 払 法 人 税 等）	49,000	（仮 払 金）	49,000

(5) 前期に係る事業税の当期確定申告納付額

（未 払 法 人 税 等）	14,000	（仮 払 金）	14,000

(6) 法人税及び住民税

① 予定納付額

（法人税、住民税及び事業税）	35,700	（仮 払 金）	35,700

② 当期に係る法人税及び住民税の翌期確定申告納付額

（法人税、住民税及び事業税）	50,300	（未 払 法 人 税 等）	50,300

(7) 事業税

① 予定納付額

（法人税、住民税及び事業税）＊	7,000	（仮 払 金）	9,000
（租 税 公 課）	2,000		

＊ $9,000\text{千円} - \underset{\text{外形基準分}}{2,000\text{千円}} = 7,000\text{千円}$（所得割分）

② 当期に係る事業税の翌期確定申告納付額

（法人税、住民税及び事業税）＊	13,000	（未 払 法 人 税 等）	17,000
（租 税 公 課）	4,000		

＊ $17,000\text{千円} - \underset{\text{外形基準分}}{4,000\text{千円}} = 13,000\text{千円}$（所得割分）

(8) 共同施設（アーケード）の設置負担額

（共同施設負担金）	4,200	（仮　　払　　金）	4,200
（共同施設負担金償却）	＊　560	（共同施設負担金）	560

＊　$4,200千円 \times \dfrac{8カ月}{5年 \times 12カ月} = 560千円$

9. 有形固定資産

(1) 建　物

（減　価　償　却　費）	＊　9,900	（建　　　　　物）	9,900

＊　$550,000千円 \times 0.9 \times 0.020 = 9,900千円$

(2) 車両運搬具

① 減価償却

（減　価　償　却　費）	＊　30,847	（車　両　運　搬　具）	30,847

＊　$96,702千円 \times 0.319 = 30,847.938 \rightarrow 30,847千円$ （千円未満端数切捨）

② 未払金

（未　　払　　金）	70,000	（長　期　未　払　金）	＊　70,000

＊　$94,000千円 - \underline{2,000千円 \times 12カ月}(=24,000千円) = 70,000千円$
　　　　　　　　　1年以内返済分

当該未払金は、返済日が翌々期以降であるため、1年基準を適用して固定項目として取り扱う。

(3) 器具備品

① 既存分

（減　価　償　却　費）	＊　21,042	（器　具　備　品）	21,042

＊　$(49,084千円 - 70,000千円 \times 10\%) \div 2年(残存耐用年数) = 21,042千円$

② 自家消費分

（減　価　償　却　費）	＊　871	（器　具　備　品）	871

＊　自家消費した器具備品

$10,000千円 \times 0.9 \times 0.166 \times \dfrac{7カ月}{12カ月} = 871.5 \rightarrow 871千円$ （千円未満端数切捨）

(4) 建設仮勘定

① 科目の振替

（建　　　　　物）	50,000	（建　設　仮　勘　定）	50,000

② 減価償却

（減　価　償　却　費）	＊	250	（建			物）	250

＊　$50,000千円 \times 0.020 \times \dfrac{3カ月}{12カ月} = 250千円$

10. のれん及び商標権

（の　れ　ん　償　却）	＊1	1,600	（の	れ	ん）		1,600
（商　標　権　償　却）	＊2	1,500	（商	標	権）		1,500

＊1　$8,000千円 \times \dfrac{12カ月}{5年 \times 12カ月} = 1,600千円$

＊2　$6,750千円 \times \dfrac{12カ月}{10年 \times 12カ月 - 66カ月} = 1,500千円$

11. 開発費

（開　発　費　償　却）	＊	56,350	（開	発	費）	56,350

＊　$281,750千円 \times \dfrac{12カ月}{5年 \times 12カ月} = 56,350千円$

12. 租税公課

（土	地）	3,910	（租　税　公　課）	3,910

13. 借入金

(1) 原宿銀行に対する借入金

（借	入	金）	42,000	（長　期　借　入　金）　＊	42,000

＊　返済期日が翌々期以降であるため、1年基準を適用して固定項目として取り扱う。

(2) 浜田取締役に対する借入金

（借	入	金）	22,800	（短　期　借　入　金）　＊	22,800

＊　返済期日が翌期中であるため、1年基準を適用して流動項目として取り扱う。

(3) 笹塚商事株式会社に対する借入金

（借	入	金）	115,400	（長　期　借　入　金）　＊	115,400

＊　返済期日が翌々期以降であるため、1年基準を適用して固定項目として取り扱う。

注記　関係会社に対する金銭債務につき貸借対照表等に関する注記が必要である。

(4) ＧＨ銀行に対する借入金

（借	入	金）	96,900	（長　期　借　入　金）　＊	114,000
（為	替　差	損）	17,100		

＊　$\underline{950,000ドル} \times \underline{120円／ドル} = 114,000千円$（B/S価額）
　　　外貨額　　　決算日レート

　　当該借入金は、返済期日が翌々期以降であるため、1年基準を適用して固定項目として取り扱う。

14. 社 債

(1) 償却原価法

（社 債 利 息）	＊	638	（社 債）	638

＊ （98,000千円× <u>3.1%</u> ）－（100,000千円× <u>2.4%</u> ）＝638千円
払込金額　払込金額に基づく　　額面金額　クーポン利子率
　　　　　実効利子率

(2) 社債発行費の償却

（社 債 発 行 費 償 却） <営 業 外 費 用>	＊	833	（社 債 発 行 費）	833

＊　2,500千円× $\dfrac{12 \text{カ月}}{3 \text{年} \times 12 \text{カ月}}$ ＝833千円 （千円未満端数切捨）

15. 引当金

(1) 貸倒引当金

（貸 倒 引 当 金）		1,650	（貸倒引当金戻入額）	1,650
（貸倒引当金繰入額）	＊	6,819	（貸 倒 引 当 金）	6,819

＊　受 取 手 形：242,000千円（注）×1％＝2,420千円 ⎫
　　売 掛 金：331,500千円　　×1％＝3,315千円 ⎬ 流動 5,940千円
　　短 期 貸 付 金：20,500千円　　×1％＝　205千円 ⎭
　　長 期 貸 付 金：87,900千円　　×1％＝　879千円 ⎬ 固定　879千円
　　　　　　　合　　計　　　　6,819千円

（注）　<u>245,000千円</u>－<u>3,000千円</u>＝242,000千円
　　　　試算表　　　裏書手形

※　貸倒引当金繰入額と貸倒引当金戻入額の相殺後の残額が貸倒引当金繰入額である場合には、本来設定対象債権等合理的な按分基準により販売費及び一般管理費並びに営業外費用に計上すべきであるが、本問では、問題の指示により全額販売費及び一般管理費に計上することとなる。

(2) 修繕引当金

（修 繕 引 当 金）	200	（修繕引当金戻入額）	200
（修繕引当金繰入額）	2,700	（修 繕 引 当 金）	2,700

(3) 賞与引当金

（賞与引当金繰入額）	12,000	（賞 与 引 当 金）	12,000

(4) 退職給付引当金

（退 職 給 付 引 当 金）	1,800	（その他の販売管理費）	＊1	1,800
（退 職 給 付 費 用）	＊2 12,500	（退 職 給 付 引 当 金）		12,500

＊1　　600千円＋1,200千円＝1,800千円
　　　　年金掛金　　退職金

＊2　　10,550千円＋3,150千円(注1)－　1,200千円　(注2)＝12,500千円
　　　　勤務費用　　利息費用　　　　期待運用収益

（注1）　210,000千円×1.5%＝3,150千円

（注2）　120,000千円×1.0%＝1,200千円

(5) 役員賞与引当金

（役員賞与引当金繰入額）	20,000	（役 員 賞 与 引 当 金）	20,000

16. 税効果会計

(1) 前期分

（法 人 税 等 調 整 額）	52,600	（繰 延 税 金 資 産） ＜試　　算　　表＞	52,600

(2) 当期分

（繰 延 税 金 資 産）　＊	50,720	（法 人 税 等 調 整 額）	50,720

＊　　126,800千円　×40%＝50,720千円
　　　将来減算一時差異

(3) 財務諸表表示

損益計算書表示（法人税等調整額）

52,600千円－50,720千円＝1,880千円（法人税、住民税及び事業税に加算）
　上記(1)　　　上記(2)

貸借対照表表示（繰延税金資産）

投資その他の資産　50,720千円－　1,248千円　＝49,472千円
　　　　　　　　　上記(2)　　その他有価証券

17. 繰越利益剰余金

151,210千円－66,000千円－36,750千円＋45,458千円＝93,918千円
　試算表　　　　上記1　　　上記8(3)　　当期純利益

（MEMO）

※　□で囲まれた数字は配点を示す。

問1　株式会社マルヒロ（第30期）の貸借対照表及び損益計算書

貸 借 対 照 表

株式会社マルヒロ　　　　　　×4年3月31日　　　　　　（単位：千円）

科　　目	金　　額	科　　目	金　　額
資 産 の 部		負 債 の 部	
［流 動 資 産］	（　939,149）	［流 動 負 債］	（　540,267）
現 金 預 金	②（　135,828）	支 払 手 形	（　106,400）
受 取 手 形	②（　201,800）	買 掛 金	240,000
売 掛 金	（　453,300）	［短 期 借 入 金］	②（　54,010）
商 品	（　79,640）	未 払 金	（　10,090）
貯 蔵 品	3,200	未 払 法 人 税 等	②（　20,380）
未 収 入 金	（　23,460）	未 払 消 費 税 等	②（　107,250）
保 険 未 決 算	②（　39,500）	［リ ー ス 債 務］	（　2,137）
短 期 貸 付 金	（　9,000）	［固 定 負 債］	（　138,838）
立 替 金	（　12）	長 期 借 入 金	（　60,000）
［前 払 費 用］	（　675）	退職給付引当金	②（　46,900）
貸 倒 引 当 金	②（△　7,266）	営 業 保 証 金	25,000
［固 定 資 産］	（　436,052）	［長期リース債務］	（　6,938）
［有形固定資産］	（　212,744）	負 債 の 部 合 計	（　679,105）
建 物	②（　73,170）	純 資 産 の 部	
器 具 備 品	（　25,072）	［株 主 資 本］	（　694,136）
［リ ー ス 資 産］	②（　8,904）	資 本 金	（　290,000）
土 地	（　105,598）	［新株式申込証拠金］	②（　60,000）
［無形固定資産］	（　4,935）	［資 本 剰 余 金］	（　43,000）
商 標 権	（　2,940）	資 本 準 備 金	（　40,000）
ソ フ ト ウ ェ ア	（　1,995）	そ の 他 資 本 剰 余 金	（　3,000）
［投資その他の資産］	（　218,373）	［利 益 剰 余 金］	（　301,136）
投 資 有 価 証 券	②（　148,075）	利 益 準 備 金	（　32,000）
［関 係 会 社 株 式］	②（　40,000）	そ の 他 利 益 剰 余 金	（　269,136）

（次頁に続く）

［ 破産更生債権等 ］	② (	7,900)	別 途 積 立 金	1,400
［ 長 期 預 金 ］	(	6,000)	繰越利益剰余金	(267,736)
繰 延 税 金 資 産	② (	18,398)	［ 評価・換算差額等 ］	(1,960)
貸 倒 引 当 金	(△	2,000)	その他有価証券評価差額金	(1,960)
			純 資 産 の 部 合 計	(696,096)
資 産 の 部 合 計	(1,375,201)		負債及び純資産の部合計	(1,375,201)

損 益 計 算 書

株式会社マルヒロ　　　　自×3年4月1日　至×4年3月31日　　　　　　（単位：千円）

摘　　　　　要	金	額
売　　上　　高		（　　3,236,190）
売　　上　　原　　価		（　　2,004,284）
［売　上　総　利　益］		（　　1,231,906）
販　売　費　及　び　一　般　管　理　費		（　　1,024,365）
［営　業　利　益］①		（　　207,541）
［営　業　外　収　益］		
受　取　利　息	700	
有　価　証　券　利　息	（　　575）	
受　取　配　当　金	（　　2,600）	
雑　　収　　入	（　　340）	（　　4,215）
［営　業　外　費　用］		
支　払　利　息	①（　　715）	
［手　形　売　却　損］	①（　　150）	
［為　替　差　損］	①（　　201）	
雑　　損　　失	（　　130）	（　　1,196）
［経　常　利　益］		（　　210,560）
［特　別　利　益］		
投　資　有　価　証　券　売　却　益	①（　　2,460）	
債　務　免　除　益	①（　　10,000）	
［固　定　資　産　売　却　益］	（　　30,000）	（　　42,460）
［特　別　損　失］		
商　品　評　価　損	①（　　216）	
貸　倒　引　当　金　繰　入　額	①（　　1,000）	
［固　定　資　産　圧　縮　損］	①（　　30,000）	（　　31,216）
［税　引　前　当　期　純　利　益］		（　　221,804）
法　人　税、住　民　税　及　び　事　業　税	（　　36,800）	
法　人　税　等　調　整　額	①（　　13,162）	（　　49,962）
［当　期　純　利　益］		（　　171,842）

問2　個別注記表の一部

貸借対照表等に関する注記	
（注１）	現金預金のうち100,250千円を当座借越契約の担保に供している。 [1]
（注２）	受取手形割引高　20,000千円 [1]
（注３）	関係会社に対する金銭債権は次のとおりである。
	短期貸付金　9,000千円
（注４）	有形固定資産から減価償却累計額がそれぞれ控除されている。 [1]
	建物　227,830千円　　器具備品　20,928千円　　リース資産　2,226千円
（注５）	土地から圧縮額30,000千円が控除されている。
（注６）	ⅠⅠ社の金融機関からの借入れに対し、8,000千円の債務保証を行っている。
損益計算書に関する注記	
（注１）	関係会社との営業取引高（売上高）が256,000千円ある。 [1]
（注２）	関係会社との営業取引以外の取引高（利息受取高）が160千円ある。 [1]

問3　販売費及び一般管理費の明細

（単位：千円）

科　　目	金　　額
給　料　手　当	（　　508,800）
役　員　報　酬	（　　24,000）
賞　　　　　与	72,700
法　定　福　利　費	79,920
広　告　宣　伝　費	（　　57,800）
［見　本　品　費］	1（　　4,000）
旅　費　交　通　費	11,000
租　税　公　課	1（　　13,040）
消　耗　品　費	4,000
商　標　権　償　却	1（　　360）
減　価　償　却　費	（　　11,644）
ソフトウェア導入費	1（　　220）
ソフトウェア償却	（　　105）
［退　職　給　付　費　用］	（　　11,700）
［貸　倒　損　失］	1（　　200）
貸　倒　引　当　金　繰　入　額	（　　7,266）
その他販売費及び一般管理費	217,610
合　　　　計	（　　1,024,365）

【配　点】　1×20カ所　2×15カ所　　合計50点

1 現金預金に関する事項

(1) 科目の振替

（現 金 預 金）	162,428	（現 金）	5,350
		（当 座 預 金）	50,828
		（定 期 預 金）	106,250

(2) 金庫の実査

① 期限の到来した社債の利札

（現 金 預 金）	500	（有 価 証 券 利 息） ＜営 業 外 収 益＞	500

② 未渡小切手

（現 金 預 金）	90	（未 払 金）	90

(3) ＡＡ銀行当座預金

① 支払手形引落分

（支 払 手 形）	50,000	（現 金 預 金）	50,000

② 未取付小切手

銀行側の調整項目であるため、処理なし

③ 当座借越

（現 金 預 金） ＊	30,010	（短 期 借 入 金）	30,010

＊ $\underset{\text{帳簿残高}}{19,900千円} + \underset{\text{上記(2)②}}{90千円} - \underset{\text{上記(3)①}}{50,000千円} = △30,010千円$

ＡＡ銀行勘定調整表			
当座預金勘定残高	19,900	銀行残高証明書	△ 27,810
（加算） 未渡小切手	90	（加算）	0
（減算） 支払手形引落	50,000	（減算） 未取付小切手	2,200
修 正 後 残 高	△ 30,010	修 正 後 残 高	△ 30,010

(4) ＢＢ銀行当座預金

① 売掛金現金処理誤処理分

（現 金 預 金） ＜当 座 預 金＞	5,250	（現 金 預 金） ＜現 金＞	5,250

② 広告宣伝費引落分

（広 告 宣 伝 費）	1,200	（現 金 預 金）	1,200

※

BB銀行勘定調整表					
当座預金勘定残高		30,928	銀行残高証明書		34,978
（加算）	現金処理誤処理	5,250	（加算）		0
（減算）	広告宣伝費引落	1,200	（減算）		0
修　正　後　残　高		34,978	修　正　後　残　高		34,978

(5) 定期預金

① AA銀行定期預金

仕訳なし

注記 担保提供資産につき、貸借対照表等に関する注記が必要となる。

② DD銀行積立預金

（長　期　預　金）	＊	6,000	（現　金　預　金）	6,000

＊ 6,000千円÷6回＝1,000千円／回（一月当たり積立額）

24,000千円÷1,000千円／回＝24回（総積立回数）

24回－6回＝18回＞12回　∴　一年超

2　受取手形及び売掛金に関する事項

(1) 手形の割引

（仮　　　受　　　金）	＊2	19,850	（受　取　手　形）	20,000
（手　形　売　却　損） ＜営　業　外　費　用＞	＊1	150		

＊1　$20,000千円 \times 3\% \times \dfrac{3カ月}{12カ月} = 150千円$

＊2　貸借差額

注記 手形割引高につき、貸借対照表等に関する注記が必要となる。

(2) クレジット売掛金

適正に処理されているため処理なし

　クレジットの取引とは、クレジット・カードを利用した信販取引のことをいう。販売店がクレジット・カードにより商品を販売したときは、クレジット売掛金（売掛金）で処理する。また、クレジット・カードの利用によるクレジット会社に対する手数料（販売店が負担するもの）は、原則として、販売時に認識し、支払手数料として計上するが、入金時に支払手数料として計上することも認められている。なお、表示上は、「クレジット売掛金」を使用することもあるが、答案スペースより売掛金に含めて表示することになる。

(3) 貸倒処理

（貸 倒 引 当 金）	1,000			（売　　掛　　金）		1,200
（貸 倒 損 失）	200					
＜販売費及び一般管理費＞						

※　残高試算表の貸倒引当金2,000千円のうち、1,000千円はＧＧ社に設定したものであること
　　から、一般債権の貸倒に充当できるのは残額の1,000千円である。

(4) 得意先ＦＦ社（貸倒懸念債権）

　　ＦＦ社に対する受取手形は、債務の弁済に重大な問題が生じる可能性が高い債務者に対する
債権に該当するため、貸倒懸念債権として取扱う。ただし、表示上は「受取手形」として表示
することに留意する。

(5) 得意先ＧＧ社（破産更生債権等）

（破 産 更 生 債 権 等）	7,900			（受　　取　　手　　形）		5,000
＜投資その他の資産＞						
				（売　　掛　　金）		2,900

(6) 為替予約

　　① 当社が行った処理の取り消し

（売　　上　　高）	34,200			（売　　掛　　金）	＊	34,200

　＊　300千ドル×<u>114円／ドル</u>＝34,200千円
　　　　　　　　　予約レート

　　② 売上計上日の処理

（売　　掛　　金）	35,400			（売　　上　　高）	＊	35,400

　＊　300千ドル×<u>118円／ドル</u>＝35,400千円
　　　　　　　　　発生時レート

　　③ 為替予約

　　　イ　直々差額

（為　替　差　損）	＊	300		（売　　掛　　金）		300

　＊　300千ドル×（<u>　118円／ドル　</u>－<u>　117円／ドル　</u>）＝300千円
　　　　　　　　　発生時の直物レート　予約時の直物レート

　　　ロ　直先差額

（前　払　費　用）	900			（売　　掛　　金）	＊1	900
（為　替　差　損）	＊2	225		（前　払　費　用）		225

　＊1　直先差額　300千ドル×（<u>　117円／ドル　</u>－<u>114円／ドル</u>）＝900千円
　　　　　　　　　　　　　　　予約時の直物レート　　予約時レート

　＊2　期間配分　900千円×$\dfrac{1カ月}{4カ月}$＝225千円

問題
6

解答

(7) 立替金

（立　　替　　金）	12	（売　　掛　　金）	12
＜流　動　資　産＞			

3　貸付金に関する事項

（短　期　貸　付　金）	9,000	（貸　　付　　金）	9,000

注記　ＨＨ社は当社の子会社に該当（下記5(1)参照）するため、貸借対照表等に関する注記（関係会社に対する金銭債権）が必要となる。

注記　関係会社からの利息の受取高につき、損益計算書に関する注記が必要となる。

4　貸倒引当金に関する事項

(1) 一般債権

（貸 倒 引 当 金 繰 入 額）	＊	6,516	（貸　倒　引　当　金）	6,516
＜販売費及び一般管理費＞				

＊　①　戻入

$$\underset{\text{試算表}}{2,000千円}-\underset{\text{上記2(3)}}{1,000千円}-\underset{\text{GG社}}{1,000千円}=0千円$$

②　繰入

受取手形：$\underset{\substack{\text{試算表}}}{(226,800千円}-\underset{}{20,000千円}-\underset{\text{懸念債権}}{3,500千円}-\underset{\text{上記2(5)}}{5,000千円)}$　×1％=1,983千円

　　　　　　　　　試算表　　　　　　上記2(1)　懸念債権　上記2(5)

売　掛　金：$(\underset{\text{試算表}}{457,412千円}-\underset{\text{上記2(3)}}{1,200千円}-\underset{\text{上記2(5)}}{2,900千円}-\underset{\text{為替予約}}{0千円}-\underset{\text{上記2(7)}}{12千円})$×1％=4,533千円

　　　　　　　　　　　　　　　　　　　　　　　　　　　　　　　　　─────────

　　　　　　　　　　　　　　　　　　　　　　　　　　　　　　　　　6,516千円

③　②-①=6,516千円

(2) 貸倒懸念債権

（貸 倒 引 当 金 繰 入 額）	＊	750	（貸　倒　引　当　金）	750
＜販売費及び一般管理費＞				

＊　$(\underset{\text{懸念債権}}{3,500千円}-\underset{\text{担保}}{2,000千円})$×50％=750千円

(3) 破産更生債権等

（貸 倒 引 当 金 繰 入 額）	＊	1,000	（貸　倒　引　当　金）	1,000
＜特　別　損　失＞				

＊　①　戻入

1,000千円

②　繰入

$$\underset{\text{破産更生債権等}}{7,900千円}-\underset{\text{担保}}{5,900千円}=2,000千円$$

③　②-①=1,000千円

※　繰入額は問題文の指示から特別損失に表示する。

(4) 財務諸表表示

　① 貸倒引当金のB/S表示（一括間接控除法）

　　流　　動　　資　　産：<u>1,983千円</u>＋<u>4,533千円</u>＋<u>750千円</u>＝7,266千円
　　　　　　　　　　　　　　受取手形　　売掛金　　懸念債権

　　投資その他の資産：<u>　2,000千円　</u>
　　　　　　　　　　　　破産更生債権等

　② 貸倒引当金繰入額のP/L表示

　　販売費及び一般管理費：<u>6,516千円</u>＋<u>750千円</u>＝7,266千円
　　　　　　　　　　　　　　一般債権　　懸念債権

　　特　　別　　損　　失：<u>　1,000千円　</u>
　　　　　　　　　　　　　破産更生債権等

5　有価証券に関する事項

(1) HH社株式（子会社株式）

| （関係会社株式）＊ | 40,000 | （有価証券） | 40,000 |
| ＜投資その他の資産＞ | | ＜試算表＞ | |

　＊　当社は、HH社の議決権の70%を所有しているため、HH社は当社の関係会社（子会社）

　　に該当する。したがって、当該株式は「関係会社株式」として投資その他の資産に表示する。

　　また、HH社株式は子会社株式に該当するため取得原価をもって貸借対照表価額とする。

(2) II社株式（その他有価証券）

（投資有価証券）	97,000	（有価証券）		96,000
＜投資その他の資産＞		＜試算表＞		
		（繰延税金負債）＊		300
		（その他有価証券評価差額金）＊		700
		＜評価・換算差額等＞		

　＊　評価差額：<u>97,000千円</u>－<u>96,000千円</u>＝1,000千円
　　　　　　　　当期末時価　　取得原価

　　繰延税金負債：1,000千円×30%＝300千円

　　その他有価証券評価差額金：1,000千円－300千円＝700千円

(3) JJ社社債（その他有価証券）

　① 償却原価

（投資有価証券）	19,475	（有価証券）		19,400
		＜試算表＞		
		（有価証券利息）＊		75
		＜営業外収益＞		

　＊　$(20,000千円－19,400千円)×\dfrac{6カ月}{4年×12カ月}=75千円$

②　期末評価

（投 資 有 価 証 券） ＜投資その他の資産＞	19,775	（投 資 有 価 証 券）		19,475
		（繰 延 税 金 負 債）	＊	90
		（その他有価証券評価差額金） ＜試　　算　　表＞	＊	210

＊　評価差額：<u>19,775千円</u>－<u>19,475千円</u>＝300千円
　　　　　　　当期末時価　　償却原価

　　　繰延税金負債：300千円×30％＝90千円

　　　その他有価証券評価差額金：300千円－90千円＝210千円

(4)　KK社株式（その他有価証券）

（投 資 有 価 証 券）	13,800	（有 価 証 券） ＜試　　算　　表＞	13,800

(5)　LL社株式（その他有価証券）

①　売却分

（未　収　入　金） ＜流　動　資　産＞	10,460	（有 価 証 券） ＜試　　算　　表＞	＊1	8,000
		（投資有価証券売却益） ＜特　別　利　益＞	＊2	2,460

＊1　$24,000千円 \times \dfrac{30,000株}{90,000株} = 8,000千円$

＊2　貸借差額

②　保有分

（投 資 有 価 証 券） ＜投資その他の資産＞	17,500	（有 価 証 券） ＜試　　算　　表＞	＊1	16,000
		（繰 延 税 金 負 債）	＊2	450
		（その他有価証券評価差額金） ＜評価・換算差額等＞	＊2	1,050

＊1　24,000千円－<u>8,000千円</u>＝16,000千円
　　　　　　　　　　売却分

＊2　評価差額：<u>17,500千円</u>－<u>16,000千円</u>＝1,500千円
　　　　　　　当期末時価　　取得原価

　　　繰延税金負債：1,500千円×30％＝450千円

　　　その他有価証券評価差額金：1,500千円－450千円＝1,050千円

6 棚卸資産に関する事項

（売　上　原　価） ＜期首商品棚卸高＞		128,000	（繰　越　商　品）			128,000
（売　上　原　価） ＜当期商品仕入高＞		1,960,140	（仕　　入　　高）			1,960,140
（見　本　品　費） ＜販売費及び一般管理費＞	*1	4,000	（売　上　原　価） ＜見本品費振替高＞			4,000
（売　上　原　価） ＜商　品　減　耗　損＞	*3	2,000	（売　上　原　価） ＜期末商品棚卸高＞	*2		83,600
（売　上　原　価） ＜商　品　評　価　損＞	*4	1,744				
（商　品　評　価　損） ＜特　別　損　失＞	*5	216				
（商　　　　　　　品）	*6	79,640				

* 1　40,000円／個×100個＝4,000千円

* 2　$\underset{\text{商品MMM}}{40,000円／個×（1,500個－100個）}＋\underset{\text{商品NNN}}{13,000円／個×1,200個}＋\underset{\text{商品OOO}}{15,000円／個×800個}$

　　　＝83,600千円

* 3　40,000円／個×（1,500個－100個－1,350個）＝2,000千円

* 4　$\underset{\text{商品NNN}}{（13,000円／個－12,200円／個）×（1,200個－20個）}＋\underset{\text{商品OOO}}{（15,000円／個－14,000円／個）×800個}$

　　　＝1,744千円

* 5　（13,000円／個－2,200円／個）×20個＝216千円

* 6　$\underset{\text{期末商品棚卸高}}{83,600千円}－\underset{\text{減耗損}}{2,000千円}－\underset{\text{評価損}}{1,744千円}－216千円＝79,640千円$

※　売上原価：$\underset{\text{期首商品}}{128,000千円}＋\underset{\text{当期仕入}}{1,960,140千円}－\underset{\text{見本品費}}{4,000千円}－\underset{\text{期末商品}}{83,600千円}＋\underset{\text{減耗損}}{2,000千円}＋\underset{\text{評価損}}{1,744千円}$

　　　＝2,004,284千円

　注記　関係会社への売上高につき、損益計算書に関する注記が必要となる。

7　有形固定資産に関する事項

（1）建物

（建物減価償却累計額）		12,500	（建　　　　　　物）		52,000
（保　険　未　決　算） ＜流　動　資　産＞	*	39,500			

*　貸借差額

(2) 収用

① 売却

(仮　受　金)	120,000	(土　　　　地)		90,000
		(固定資産売却益) <特　別　利　益>	＊	30,000

＊　貸借差額

② 収用の圧縮記帳

(固定資産圧縮損) <特　別　損　失>	30,000	(土　　　　地)	30,000

注記　固定資産の圧縮額につき、貸借対照表等に関する注記が必要である。

(3) リース資産

(リ ー ス 資 産)	＊1　11,130	(リ ー ス 債 務)		11,130
(リ ー ス 債 務)	2,055	(リ ー ス 料)		2,500
(支 払 利 息)	＊2　445			
(減 価 償 却 費) <販売費及び一般管理費>	＊3　2,226	(減 価 償 却 累 計 額)		2,226
(リ ー ス 債 務)	＊4　6,938	(長 期 リ ー ス 債 務)		6,938

＊1　リース料総額の割引現在価値：2,500千円×4.452＝11,130千円

　　　見積現金購入価額：11,400千円

　　　11,130千円＜11,400千円　　∴　11,130千円

＊2　11,130千円×4％＝445千円（千円未満四捨五入）

＊3　$11,130千円 \times \dfrac{1年}{5年} = 2,226千円$

＊4　①　翌期支払利息：(11,130千円－2,055千円)×4％＝363千円

　　　②　翌期返済額：2,500千円－363千円＝2,137千円

　　　③　翌々期以降返済額：11,130千円－2,055千円－2,137千円＝6,938千円

(4) 表示

① 減価償却累計額（注記）

　　建　　物：$\underset{試算表}{240,330千円} - \underset{上記(1)}{12,500千円} = 227,830千円$

　　器具備品：$\underset{試算表}{20,928千円}$

　　リース資産：$\underset{上記(3)}{2,226千円}$

注記　減価償却累計額につき、貸借対照表等に関する注記が必要である。

② 有形固定資産の貸借対照表価額

建　　物：$\underset{\text{取得原価}}{\underline{353,000千円}}-\underset{\text{上記(1)}}{\underline{52,000千円}}-\underset{\text{減価償却累計額}}{\underline{227,830千円}}=73,170千円$

器具備品：$\underset{\text{取得原価}}{\underline{46,000千円}}-\underset{\text{減価償却累計額}}{\underline{20,928千円}}=25,072千円$

リース資産：$\underset{\text{取得原価}}{\underline{11,130千円}}-\underset{\text{減価償却累計額}}{\underline{2,226千円}}=8,904千円$

土　　地：$\underset{\text{取得原価}}{\underline{225,598千円}}-\underset{\text{上記(2)①}}{\underline{90,000千円}}-\underset{\text{上記(2)②}}{\underline{30,000千円}}=105,598千円$

8　無形固定資産に関する事項

(1) 商標権

（商　標　権　償　却） ＜販売費及び一般管理費＞	＊	360	（商　　標　　権）	360

＊　$3,300千円 \times \dfrac{12\text{カ月}}{10\text{年} \times 12\text{カ月} - 10\text{カ月}} = 360千円$

(2) ソフトウェア

① 取得に係る修正

（ソフトウェア導入費） ＜販売費及び一般管理費＞	＊	220	（ソ　フ　ト　ウ　ェ　ア）	220

＊　「研究開発費及びソフトウェアの会計処理に関する実務指針」14及び16により、導入に必要な修正作業費用は取得原価に含めることとなり、ソフトウェアを操作するためのトレーニング費用は発生時に費用処理することとなる。

② 償却

（ソフトウェア償却） ＜販売費及び一般管理費＞	＊	105	（ソ　フ　ト　ウ　ェ　ア）	105

＊　$(2,320千円 - \underset{\text{上記①}}{\underline{220千円}}) \times \dfrac{3\text{カ月}}{5\text{年} \times 12\text{カ月}} = 105千円$

9　借入金に関する事項

(1) ＰＰ銀行借入金

（借　　　入　　　金）	84,000	（短　期　借　入　金）	＊1	24,000
		（長　期　借　入　金）	＊2	60,000

＊1　$84,000千円 \times \dfrac{12\text{カ月}}{5\text{年} \times 12\text{カ月} - 18\text{カ月}} = 24,000千円$

※　本来は「1年以内返済長期借入金」と表示すべきだが、答案用紙のスペースから「短期借入金」と表示する。

＊2　$84,000千円 - 24,000千円 = 60,000千円$

—153—

(2) 取締役からの借入金

（借 入 金）	10,000	（債 務 免 除 益） ＜特 別 利 益＞	10,000

10 退職給付引当金に関する事項

（退 職 給 付 費 用） ＊	11,700	（退 職 給 付 引 当 金）	11,700
＜販売費及び一般管理費＞			

＊ $\underset{\text{勤務費用}}{11,000千円}+\underset{\text{利息費用}}{960千円}-\underset{\text{期待運用収益}}{420千円}+\underset{\text{数理計算上の差異}}{160千円（※）}=11,700千円$

※ $1,600千円×\dfrac{1年}{10年}=160千円$ （退職給付費用に加算）

11 純資産に関する事項

(1) 新株式申込証拠金

（仮 受 金）	60,000	（新 株 式 申 込 証 拠 金） ＊	60,000

＊ 50,000株×1,200円＝60,000千円

払込期日が翌期であるため、「新株式申込証拠金」として純資産の部の資本金の次に表示する。

(2) 利益の資本組入

（繰 越 利 益 剰 余 金）	50,000	（資 本 金）	50,000

12 諸税金に関する事項

(1) 消費税等

（仮 受 消 費 税 等）	405,638	（仮 払 消 費 税 等）	198,188
		（中 間 消 費 税 等）	100,200
		（未 払 消 費 税 等） ＊	107,250

＊ 確定納付額

(2) 法人税、住民税及び事業税

（法人税、住民税及び事業税） ＊1	36,800	（法 人 税 等）	21,820
（租 税 公 課） ＊2	5,400	（未 払 法 人 税 等） ＊3	20,380
＜販売費及び一般管理費＞			

＊1 $\underset{\text{法人税・住民税（年税額）}}{30,000千円＋3,800千円}+\underset{\text{事業税（所得割）}}{3,000千円}=36,800千円$

＊2 $\underset{\text{外形年税額}}{4,800千円＋7,560千円}-\underset{\text{外形中間納付額}}{(2,800千円＋4,160千円)}=5,400千円$

＊3 貸借差額

※ 中間納付額については適切に計上されていることに留意する。

13　税効果会計に関する事項

(1) 前期分

（法 人 税 等 調 整 額）	32,400	（繰 延 税 金 資 産） ＜試　算　表＞	32,400

(2) 当期分

（繰 延 税 金 資 産）	＊　19,238	（法 人 税 等 調 整 額）	19,238

　　　＊　（　46,900千円　＋17,226千円）×30％＝19,238千円（千円未満四捨五入）
　　　　　退職給付引当金　　その他

(3) 財務諸表表示

①　損益計算書表示

　　　19,238千円－32,400千円＝13,162千円（法人税、住民税及び事業税に加算）
　　　　上記(2)　　　上記(1)

②　貸借対照表表示

　　　投資その他の資産：19,238千円－　300千円　－　90千円　－　450千円　＝18,398千円
　　　　　　　　　　　　上記(2)　　　ⅠⅠ社株式　　ＪＪ社社債　　ＬＬ社株式

14　その他の事項

(1) 役員報酬

（役　員　報　酬） ＜販売費及び一般管理費＞	24,000	（給　料　手　当）	24,000

(2) 債務保証

　　注記　債務保証につき貸借対照表等に関する注記が必要である。

　　　　なお、備忘記録については（債務保証見返及び債務保証）に関しては貸借対照表に計

　　　上されない。

15　繰越利益剰余金

　　145,894千円－50,000千円＋171,842千円＝267,736千円
　　　試算表　　　資本組入　　当期純利益

問題6
解答

－155－

※ □で囲まれた数字は配点を示す。

貸 借 対 照 表

株式会社ナイン　　　　　　　　　　　X28年3月31日　　　　　　　　　（単位：千円）

科　　　　　　目	金　　額	科　　　　　　目	金　　額
資　産　の　部		負　債　の　部	
［流　動　資　産］	（1,689,006）	［流　動　負　債］	（608,169）
現　金　預　金	① 374,264	支　払　手　形	100,070
受　取　手　形	① 534,900	買　掛　金	116,840
売　掛　金	① 578,900	［短　期　借　入　金］	106,000
有　価　証　券	① 17,500	［1年以内返済長期借入金］	① 24,000
商　　　品	① 132,145	未　払　金	① 91,260
貯　蔵　品	① 952	［未　払　法　人　税　等］	① 124,065
［前　渡　金］	① 18,000	［未　払　消　費　税　等］	① 3,818
未　収　入　金	11,200	預　り　金	① 20,616
前　払　費　用	① 7,020	賞　与　引　当　金	11,500
短　期　貸　付　金	① 26,000	［短期有価証券購入支払手形］	① 10,000
貸　倒　引　当　金	① △11,875	［固　定　負　債］	（793,500）
［固　定　資　産］	（1,542,621）	長　期　借　入　金	① 64,000
［有　形　固　定　資　産］	（751,123）	退　職　給　付　引　当　金	714,000
建　　　物	① 180,000	営　業　保　証　金	15,500
器　具　備　品	4,000	負　債　の　部　合　計	1,401,669
減　価　償　却　累　計　額	① △96,858	純　資　産　の　部	
［建　設　仮　勘　定］	500,000	［株　主　資　本］	（1,828,998）
土　　　地	163,981	資　本　金	① 985,000
［無　形　固　定　資　産］	（214,400）	［資　本　剰　余　金］	（154,000）
の　れ　ん	206,000	資　本　準　備　金	130,000
ソ　フ　ト　ウ　ェ　ア	① 1,080	そ　の　他　資　本　剰　余　金	24,000
そ　の　他　無　形　固　定　資　産	7,320	①［利　益　剰　余　金］	（691,098）
①［投　資　そ　の　他　の　資　産］	（577,098）	利　益　準　備　金	13,000
投　資　有　価　証　券	48,100	そ　の　他　利　益　剰　余　金	（678,098）
［関　係　会　社　株　式］	① 158,000	別　途　積　立　金	114,000

（次頁に続く）

長 期 貸 付 金		57,800	繰 越 利 益 剰 余 金		564,098
［ 破 産 更 生 債 権 等 ］	1	18,800	［ 自 己 株 式 ］	1	△ 1,100
繰 延 税 金 資 産	1	313,776	1 ［ 評 価 ・ 換 算 差 額 等 ］		(960)
貸 倒 引 当 金		△ 19,378	［ その他有価証券評価差額金 ］	1	960
			純 資 産 の 部 合 計		1,829,958
資 産 の 部 合 計		3,231,627	負債及び純資産の部合計		3,231,627

貸借対照表等に関する注記

（注１）関係会社（G社）のC銀行からの借入れに対し、1,200千円の債務保証を行っている。 1
（注２）**関係会社に対する金銭債権・債務は次のとおりである。**
受取手形　6,600千円　　　長期貸付金　50,000千円　　　未払金100千円　　　　1
（注３）取締役に対する金銭債権が2,000千円ある。 1

問題
7

解答

損 益 計 算 書

株式会社ナイン　　　　自Ｘ27年４月１日　至Ｘ28年３月31日　　　　（単位：千円）

摘　　　要	金	額
売　　上　　高		2,442,358
売　　上　　原　　価	1	1,302,659
［売　上　総　利　益］1		1,139,699
販 売 費 及 び 一 般 管 理 費	1	283,791
［営　業　利　益］1		855,908
［営　業　外　収　益］		
受 取 利 息 及 び 配 当 金	16,490	
［有　価　証　券　評　価　益］	1　2,500	
［償　却　債　権　取　立　益］	1　2,600	
雑　　収　　入	9,190	30,780
［営　業　外　費　用］		
支　　払　　利　　息	8,552	
貸 倒 引 当 金 繰 入 額	1　838	
雑　　損　　失	1　4,681	14,071
［経　常　利　益］1		872,617
［特　別　利　益］		
［投 資 有 価 証 券 売 却 益］	1　2,750	2,750
［特　別　損　失］		
［固　定　資　産　売　却　損］	1　142,200	
商　品　評　価　損	1　4,880	
貸 倒 引 当 金 繰 入 額	1　18,800	165,880
［税 引 前 当 期 純 利 益］1		709,487
［法 人 税、住 民 税 及 び 事 業 税］	1　276,800	
［法　人　税　等　調　整　額］	1　△　14,636	262,164
［当　期　純　利　益］		447,323

損益計算書に関する注記

（注１）　　関係会社との営業取引高（仕入高）が32,000千円ある。	1
（注２）　　関係会社との営業取引以外の取引高（利息受取高）が1,000千円ある。	1

【配　点】　　1×50カ所　　合計50点

（仕訳の単位：千円）

1 現金預金

(1) 現金預金

① 現金過不足

（雑　損　失）＊ <営　業　外　費　用>	12	（現　金　預　金）	12

＊ $\underset{帳簿}{812千円} - \underset{実査}{800千円} = 12千円$

② 他人振出当座小切手

（現　金　預　金）	120	（受　取　手　形）	120

③ 収入印紙

（貯　蔵　品）	90	（販売費及び一般管理費） <租　税　公　課>	90

④ 郵便切手

（貯　蔵　品）	50	（販売費及び一般管理費） <通　信　費>	50

⑤ 未渡小切手

（現　金　預　金）	100	（未　払　金）	100

注記　G社は当社の関連会社に該当（下記5(2)参照）するため、貸借対照表等に関する注記（関係会社に対する金銭債務）が必要となる。

(2) 銀行勘定の調整

① 水道光熱費

（販売費及び一般管理費） <水　道　光　熱　費>	60	（現　金　預　金）	60

② 上記(1)⑤参照

③ 売掛金の回収

（現　金　預　金）	36	（売　掛　金）	36

2 受取手形及び売掛金

(1) 得意先M社（破産更生債権等）

（破産更生債権等）＊ <投資その他の資産>	9,500	（受　取　手　形）	3,000
		（売　掛　金）	6,500

＊ 3,000千円＋6,500千円＝9,500千円

(2) 得意先N社（破産更生債権等）

（破産更生債権等）＊ <投資その他の資産>	9,300	（受　取　手　形）	9,300

＊ 5,500千円＋3,800千円＝9,300千円

(3) 得意先L社（貸倒懸念債権）

　　　L社に対する売掛金は、債務の弁済に重大な問題が生じる可能性が高い債務者に対する債権に該当するため、貸倒懸念債権として取扱う。ただし、表示上は「売掛金」として表示することに留意する。

(4) I社に対する受取手形

　　注記　I社は当社の子会社に該当（下記**5**(4)参照）するため、貸借対照表等に関する注記（関係会社に対する金銭債権）が必要となる。

(5) 手形貸付金

（長　期　貸　付　金）	7,800	（受　　取　　手　　形）	7,800

3　貸付金

(1) 取締役に対する貸付金

（短　期　貸　付　金）	2,000	（貸　　　付　　　金）	2,000

　　注記　当社の取締役に対する金銭債権に該当するため、貸借対照表等に関する注記が必要となる。

(2) G社貸付金

（長　期　貸　付　金）	50,000	（貸　　　付　　　金）	50,000

　　注記　G社は当社の関連会社に該当（下記**5**(2)参照）するため、貸借対照表等に関する注記（関係会社に対する金銭債権）及び損益計算書に関する注記（関係会社との営業取引以外の取引高）が必要となる。

(3) その他

（短　期　貸　付　金）	＊　24,000	（貸　　　付　　　金）	24,000

　　＊　$\underset{\text{試算表}}{76,000千円}-\underset{\text{上記3(1)}}{2,000千円}-\underset{\text{上記3(2)}}{50,000千円}=24,000千円$

4　貸倒引当金

(1) 一般債権

（貸倒引当金繰入額）	＊　11,953	（貸　倒　引　当　金）	11,953

　　＊　受取手形：$(\underset{\text{試算表}}{555,120千円}-\underset{\text{上記1(1)②}}{120千円}-\underset{\text{上記2(1)}}{3,000千円}-\underset{\text{上記2(2)}}{9,300千円}-\underset{\text{上記2(5)}}{7,800千円})\times1\%=5,349千円$

　　　　売掛金：$(\underset{\text{試算表}}{585,436千円}-\underset{\text{上記1(2)③}}{36千円}-\underset{\text{上記2(1)}}{6,500千円}-\underset{\text{懸念債権}}{2,300千円})\times1\%\qquad=5,766千円$

　　　　短期貸付金：$(\underset{\text{上記3(1)}}{2,000千円}+\underset{\text{上記3(3)}}{24,000千円})\times1\%\qquad\qquad=\quad260千円$

　　　　長期貸付金：$(\underset{\text{上記2(5)}}{7,800千円}+\underset{\text{上記3(2)}}{50,000千円})\times1\%\qquad\qquad=\quad578千円$

　　　　　　　　　　　　　　　　　　　　　　　　　　　　　　　11,953千円

(2) 貸倒懸念債権

（販売費及び一般管理費） ＜貸倒引当金繰入額＞	＊	500	（貸　倒　引　当　金） ＜流　動　資　産＞	500

＊ 　(2,300千円　－　1,300千円　)×50％＝500千円
　　　　債権総額　　営業保証金

(3) 破産更生債権等

（貸倒引当金繰入額） ＜特　　別　　損　　失＞	＊	18,800	（貸　倒　引　当　金） ＜投資その他の資産＞	18,800

＊ 　3,000千円＋6,500千円＋3,800千円＋5,500千円＝18,800千円
　　　　　M社に対するもの　　　　　N社に対するもの

繰入額は問題文の指示から特別損失に表示する。

(4) 財務諸表表示

① 貸倒引当金のB/S表示（一括間接控除法）

　流　動　資　産　分：5,349千円＋5,766千円＋500千円＋　260千円　＝11,875千円
　　　　　　　　　　　　受取手形　　売掛金　　懸念債権　短期貸付金

　投資その他の資産分：　578千円　＋　18,800千円　＝19,378千円
　　　　　　　　　　　　長期貸付金　破産更生債権等

② 貸倒引当金繰入額のP/L表示

　販売費及び一般管理費：5,349千円＋5,766千円＋　500千円＝11,615千円
　　　　　　　　　　　　　受取手形　　売掛金　　懸念債権

　営　業　外　費　用：　260千円　＋　578千円　＝838千円
　　　　　　　　　　　　短期貸付金　　長期貸付金

　特　　　別　　　損　　　失：　18,800千円　
　　　　　　　　　　　　破産更生債権等

5　有価証券

(1) F社株式（市場価格のあるその他有価証券）

（投　資　有　価　証　券） ＜投資その他の資産＞		9,800	（投　資　有　価　証　券） ＜試　　算　　表＞	10,500
（繰　延　税　金　資　産）	＊	280		
（その他有価証券評価差額金） ＜評価・換算差額等＞	＊	420		

＊ 　10,500千円　－　9,800千円　＝700千円
　　　前期末簿価　　当期末時価

　700千円×40％＝280千円（繰延税金資産）

　700千円－280千円＝420千円（その他有価証券評価差額金）

(2) G社株式（関連会社株式）

（関 係 会 社 株 式） ＜投資その他の資産＞	＊ 122,000	（投 資 有 価 証 券） ＜試　　算　　表＞	122,000

＊　当社は、G社の議決権の20％を所有しているため、G社は当社の関係会社（関連会社）に該当する。したがって、当該株式は「関係会社株式」として投資その他の資産に表示する。また、G社株式は関連会社株式に該当するため取得原価をもって貸借対照表価額とする。

(3) H社株式（売買目的有価証券）

（有 価 証 券） ＜流 動 資 産＞	17,500	（投 資 有 価 証 券） ＜試　　算　　表＞	15,000
		（有 価 証 券 評 価 益） ＜営 業 外 収 益＞	2,500

(4) Ｉ社株式（子会社株式）

（関 係 会 社 株 式） ＜投資その他の資産＞	36,000	（投 資 有 価 証 券） ＜試　　算　　表＞	＊ 36,000

＊　当社は、Ｉ社の議決権の65％を所有しているため、Ｉ社は当社の関係会社（子会社）に該当する。したがって、当該株式は「関係会社株式」として投資その他の資産に表示する。また、Ｉ社株式は子会社株式に該当するため取得原価をもって貸借対照表価額とする。

(5) Ｊ社株式（市場価格のあるその他有価証券）

（投 資 有 価 証 券） ＜投資その他の資産＞	26,300	（投 資 有 価 証 券） ＜試　　算　　表＞	26,000
		（繰 延 税 金 負 債）	＊ 120
		（その他有価証券評価差額金） ＜評価・換算差額等＞	＊ 180

＊　26,300千円－26,000千円＝300千円
　　当期末時価　　取得原価

　　300千円×40％＝120千円（繰延税金負債）

　　300千円－120千円＝180千円（その他有価証券評価差額金）

(6) Ｋ社株式（市場価格のあるその他有価証券）

（仮　　受　　金）	12,750	（投 資 有 価 証 券） ＜試　　算　　表＞	10,000
		（投資有価証券売却益） ＜特 別 利 益＞	＊ 2,750

＊　12,750千円－10,000千円＝2,750千円
　　売却価額　　帳簿価額

(7) Ｘ社株式（市場価格のあるその他有価証券）

①　購入

（投 資 有 価 証 券）	10,000	（短期有価証券購入支払手形）	10,000

② 期末評価

（投 資 有 価 証 券）	*1	2,000		（繰 延 税 金 負 債）	*2		800
				（その他有価証券評価差額金）<評価・換算差額等>	*2		1,200

* 1　<u>12,000千円</u>－<u>10,000千円</u>＝2,000千円
　　　 当期末時価　　取得原価

* 2　2,000千円×40％＝800千円（繰延税金負債）

　　　2,000千円－800千円＝1,200千円（その他有価証券評価差額金）

6　棚卸資産

(1) 商　品

（期 首 商 品 棚 卸 高）	62,764		（繰 越 商 品）		62,764
（当 期 商 品 仕 入 高）	1,376,920		（仕　　　　　　入）		1,376,920
（商 品 減 耗 損）<売 上 原 価>	260		（期 末 商 品 棚 卸 高）	*2	137,360
（商 品 評 価 損）<特 別 損 失>	4,880				
（商 品 評 価 損）<売 上 原 価>	*1	75			
（商　　　　　　品）	*3	132,145			

* 1　<u>1,300千円</u>　－（<u>1,250千円－25千円</u>）＝75千円
　　　 商品C簿価　　　　 正味売却価額

* 2　<u>101,060千円</u>＋<u>35,000千円</u>＋<u>1,300千円</u>　＝137,360千円
　　　 商品A簿価　　商品B簿価　商品C簿価

* 3　<u>137,360千円</u>－<u>260千円</u>－<u>4,880千円</u>－<u>75千円</u>＝132,145千円
　　　 帳簿価額　　減耗損　　 評価損

※　売上原価：<u>62,764千円</u>＋<u>1,376,920千円</u>－<u>137,360千円</u>＋<u>260千円</u>＋<u>75千円</u>＝1,302,659千円
　　　　　　　 期首商品　　 当期商品仕入　　　期末商品　　 減耗損　　評価損

注記　I 社は当社の子会社に該当（上記5 (4)参照）するため、損益計算書に関する注記（関係会社との営業取引高）が必要となる。

(2) 貯蔵品

（販売費及び一般管理費）<事務用消耗品費>	1,022		（貯　　蔵　　品）	1,022
（貯　　蔵　　品）	812		（販売費及び一般管理費）<事務用消耗品費>	812

問題 7

解答

7 有形固定資産

(1) 建物

① 本社建物A（当期減価償却修正分）

（減価償却累計額）	＊ 6,000	（販売費及び一般管理費） <減 価 償 却 費>	6,000

＊ $400,000千円 \times 0.9 \times 0.040 \times \dfrac{5 \text{カ月}}{12 \text{カ月}} = 6,000千円$

※ 本社建物Aについては期首において一年間分の減価償却費が計上されていることから修正が必要となる。

② 本社建物A売却

（減価償却累計額）	＊208,800	（建 物）	400,000
（仮 受 金）	250,000	（土 地）	201,000
（固定資産売却損） <特 別 損 失>	142,200		

＊ $400,000千円 \times 0.9 \times 0.040 \times \dfrac{11 \text{カ月} + 12 \text{カ月} \times 13 \text{年} + 7 \text{カ月}}{12 \text{カ月}} = 208,800千円$

③ 支社建物B

※ 期首において保有している有形固定資産については、一年間分の減価償却費を計上されていることに留意する。

④ 賃借建物C

（前 払 費 用） <流 動 資 産>	＊ 4,500	（販売費及び一般管理費） <不 動 産 賃 借 料>	4,500

＊ $9,000千円 \times \dfrac{6 \text{カ月}}{12 \text{カ月}} = 4,500千円$

(2) 器具備品

（販売費及び一般管理費） <減 価 償 却 費>	＊ 738	（減価償却累計額）	738

＊ $4,000千円 \times 0.369 \times \dfrac{6 \text{カ月}}{12 \text{カ月}} = 738千円$

8 ソフトウェア

(1) 取得に係る修正

（販売費及び一般管理費） <ソフトウェア導入費>	＊ 150	（ソ フ ト ウ ェ ア）	150

＊ 「研究開発費及びソフトウェアの会計処理に関する実務指針」14及び16により、導入に必要な設定作業費用は取得原価に含めることとなり、ソフトウェアに関するトレーニング費用は発生時に費用処理することとなる。

(2) 償　却

（販売費及び一般管理費） ＜ソフトウェア償却＞	＊	120	（ソ フ ト ウ ェ ア）		120

＊　$(\underset{\text{試算表}}{1,350千円} - \underset{\text{トレーニング費用}}{150千円}) \times 0.200 \times \dfrac{6カ月}{12カ月} = 120千円$

9　借入金

(1) A銀行借入金

（借　　入　　金）	106,000	（短　期　借　入　金）	＊	106,000

＊　当期に借入、翌期に完済されるため「短期借入金」として表示する。

(2) B銀行借入金

（借　　入　　金）	88,000	（1年以内返済長期借入金） ＜流　動　負　債＞	＊1	24,000
		（長　期　借　入　金） ＜固　定　負　債＞	＊2	64,000

＊1　$88,000千円 \times \dfrac{12カ月}{44カ月} = 24,000千円$

＊2　$88,000千円 - 24,000千円 = 64,000千円$

10　従業員賞与

(1) 前期設定分の修正

（賞　与　引　当　金）	21,000	（販売費及び一般管理費）	21,000

(2) 当期設定分

（販売費及び一般管理費） ＜賞与引当金繰入額＞	＊	11,500	（賞　与　引　当　金）	11,500

＊　$23,000千円 \times \dfrac{3カ月}{6カ月} = 11,500千円$

11　法人税等

(1) 法人税、住民税及び事業税

（法人税、住民税及び事業税）	＊1	276,800	（法　　人　　税　　等）		154,535
（販売費及び一般管理費） ＜租　税　公　課＞	＊2	1,800	（未　払　法　人　税　等）	＊3	124,065

＊1　$\underset{\text{法人税・住民税（年税額）}}{260,800千円} + (\underset{\text{外形基準分を除く事業税}}{17,800千円 - 1,800千円}) = 276,800千円$

＊2　$\underset{\text{外形年税額}}{1,800千円}$

＊3　貸借差額

(2) 消費税等

（仮 受 消 費 税 等）	182,183	（仮 払 消 費 税 等）	174,683
		（仮 払 金）	3,682
		（未 払 消 費 税 等） ＊	3,818

＊ 確定納付額

12 税効果会計

(1) 前期分

（法 人 税 等 調 整 額）	299,780	（繰 延 税 金 資 産） ＜試 算 表＞	299,780

(2) 当期分

（繰 延 税 金 資 産） ＊ 314,416	（法 人 税 等 調 整 額）	314,416

＊ (10,440千円＋11,500千円＋714,000千円＋50,100千円)×40％＝314,416千円
　　未払事業税　賞与引当金　退職給付引当金　その他

(3) 財務諸表表示

① 損益計算書表示（法人税等調整額）

314,416千円－299,780千円＝14,636千円（法人税、住民税及び事業税から減算）
上記(2)　　　上記(1)

② 貸借対照表表示（繰延税金資産）

投資その他の資産：314,416千円＋280千円－120千円－800千円＝313,776千円
上記(2)　　　 F社株　　 J社株　　 X社株

13 その他の事項

(1) 資本組入れ

（繰 越 利 益 剰 余 金）	60,000	（資 本 金）	60,000

(2) 償却債権取立益

（仮 受 金）	2,600	（償 却 債 権 取 立 益） ＜営 業 外 収 益＞	2,600

(3) 商品購入手付金

（前 渡 金） ＜流 動 資 産＞	18,000	（仮 払 金）	18,000

(4) 従業員から源泉徴収した所得税

（仮 受 金）	4,500	（預 り 金） ＜流 動 負 債＞	4,500

(5) 債務保証

注記 債務保証につき貸借対照表等に関する注記が必要である。

なお、備忘記録については（債務保証見返及び債務保証）に関しては貸借対照表に計上されない。

14　販売費及び一般管理費の明細

残高試算表	289,238千円	
租税公課	△　　90千円	（収入印紙）
通信費	△　　50千円	（郵便切手）
水道光熱費	60千円	
貸倒引当金繰入額	11,615千円	
事務用消耗品費	1,022千円	
	△　　812千円	
減価償却費	△6,000千円	（建物A修正分）
不動産賃借料	△4,500千円	
減価償却費	738千円	（器具備品）
ソフトウェア導入費	150千円	
ソフトウェア償却	120千円	
賞与引当金繰入額	△21,000千円	（前期設定分修正）
	11,500千円	（当期設定分）
租税公課	1,800千円	（外形分）
	283,791千円	

15　繰越利益剰余金

176,775千円－60,000千円＋447,323千円＝564,098千円
　試算表　　　資本組入　　当期純利益

問題8　解答

※　□で囲まれた数字は配点を示す。

問1

貸　借　対　照　表

株式会社スモモ商事　　　　　×４年３月31日　　　　　（単位：千円）

科　　　　目	金　　　額	科　　　　目	金　　　額
資　産　の　部		負　債　の　部	
流　動　資　産	（　1,877,312）	流　動　負　債	（　760,675）
現　金　預　金	② 1,505,759	支　払　手　形	32,800
受　取　手　形	67,200	買　掛　金	56,300
売　掛　金	233,800	短　期　借　入　金	40,000
電　子　記　録　債　権	② 9,210	[1年以内返済長期借入金]	② 240,000
有　価　証　券	212	未　払　金	78,000
商　　　　品	57,000	[未　払　法　人　税　等]	237,755
貯　蔵　品	② 61	[未　払　消　費　税　等]	② 65,700
[前　渡　金]	400	[未　払　費　用]	1,200
[前　払　費　用]	6,680	預　り　金	920
貸　倒　引　当　金	② △ 3,010	[賞　与　引　当　金]	8,000
固　定　資　産	（　976,634）	固　定　負　債	（　212,751）
有　形　固　定　資　産	（　885,208）	長　期　借　入　金	160,000
建　　　物	268,903	[長　期　未　払　金]	42,000
車　両　運　搬　具	69,000	[資　産　除　去　債　務]	② 7,551
器　具　備　品	15,000	[長期有価証券購入支払手形]	3,200
減　価　償　却　累　計　額	② △ 59,825	負　債　の　部　合　計	973,426
土　　　地	592,130	純　資　産　の　部	
無　形　固　定　資　産	（　9,600）	株　主　資　本	（　1,879,480）
ソ　フ　ト　ウ　ェ　ア	9,600	資　本　金	② 407,500
投資その他の資産	（　81,826）	資　本　剰　余　金	（　55,500）
投　資　有　価　証　券	54,580	資　本　準　備　金	27,500
[関　係　会　社　株　式]	② 4,500	その他資本剰余金	28,000
長　期　貸　付　金	3,000	利　益　剰　余　金	（　1,419,580）

（次頁に続く）

［ 破産更生債権等 ］	②	6,000	利 益 準 備 金			19,090
不 渡 手 形	②	5,010	その他利益剰余金			（ 1,400,490）
繰 延 税 金 資 産		14,256	役員退職慰労積立金			15,000
貸 倒 引 当 金		△ 5,520	繰 越 利 益 剰 余 金			1,385,490
			［ 自 己 株 式 ］	②		△ 3,100
			評価・換算差額等			（ 1,040）
			その他有価証券評価差額金	②		1,040
			純 資 産 の 部 合 計			1,880,520
資 産 の 部 合 計		2,853,946	負債及び純資産の部合計			2,853,946

損 益 計 算 書

株式会社スモモ商事　　　　自×3年4月1日　至×4年3月31日　　　　（単位：千円）

摘　　　　　要	金		額
売　　上　　高		①	4,208,028
売　　上　　原　　価		①	1,498,000
売　上　総　利　益			2,710,028
販売費及び一般管理費			1,230,972
営　業　利　益			1,479,056
営　業　外　収　益			
受　取　利　息	340		
受　取　配　当　金	2,500		
［償却債権取立益］	①	700	
［為　替　差　益］	①	2,260	
［有価証券評価益］		12	
［有価証券利息］	①	520	
雑　　収　　入		500	6,832
営　業　外　費　用			
支　払　利　息		760	
［株　式　交　付　費］	①	500	
貸倒引当金繰入額	①	30	
雑　　損　　失	①	404	1,694
経　常　利　益			1,484,194
特　別　損　失			
［商　品　評　価　損］	①	2,000	
［役員退職慰労金］	①	20,000	
［減　損　損　失］	①	1,500	
［投資有価証券評価損］	①	22,000	
貸倒引当金繰入額	①	1,485	46,985
税引前当期純利益			1,437,209
［法人税、住民税及び事業税］	①	555,555	
［法人税等調整額］	①	784	556,339
当　期　純　利　益			880,870

問2　株主資本等変動計算書

①	△10,800 [1]	②	7,500 [1]	③	△7,590 [1]	④	△15,000 [1]

問3　株主資本等変動計算書に関する注記

①	当該事業年度の末日における発行済株式の数	普通株式	81,000株	[1]
②	当該事業年度の末日における自己株式の数	普通株式	2,000株	[1]
③	当該事業年度中に行った剰余金の配当に関する事項	配当の総額	6,900千円	[1]

【配　点】　　[1]×22カ所　　[2]×14カ所　　合計50点

問題 8 解答

— 171 —

解答への道 （仕訳の単位：千円）

1 現金預金

(1) 表示科目の振替え

（現 金 預 金）	1,505,099	（現 金）	5,435
		（預 金）	1,499,664

(2) 現金預金

① 現金過不足

（雑 損 失）＊ ＜営 業 外 費 用＞	4	（現 金 預 金）	4

＊ <u>5,005千円</u>－<u>5,001千円</u>＝4千円
  　帳簿　　　　実査

② 貯蔵品への振替え

（貯 蔵 品）	21	（販売費及び一般管理費） ＜租 税 公 課＞	8
		（販売費及び一般管理費） ＜通 信 費＞	13

③ 未渡小切手

（現 金 預 金）	300	（買 掛 金）	300

※ 残高試算表の現金5,435千円の内訳は資料から紙幣及び硬貨の帳簿残高5,005千円、他人振
  出の当座小切手430千円の合計と考えられる。したがって、当該紙幣及び硬貨、他人振出の当
  座小切手に係る処理は不要である。

(3) 当座預金

① 当社が行った仕訳

（売 掛 金）	125	（現 金 預 金）	125

② 正しい仕訳

（現 金 預 金）	250	（売 掛 金）	250

③ 修正仕訳

（現 金 預 金）	375	（売 掛 金）	375

④ 未渡小切手

　　上記(2)③参照

⑤ 支払手数料

（販売費及び一般管理費） ＜支 払 手 数 料＞	11	（現 金 預 金）	11

2 受取手形及び売掛金

(1) 得意先ZZ社（不渡手形）

（不 渡 手 形） ＜投資その他の資産＞	5,010	（受 取 手 形）	5,000
		（仮 払 金）	10

(2) 得意先YY社（破産更生債権等）

（破 産 更 生 債 権 等） ＜投資その他の資産＞	6,000	（売 掛 金）	6,000

(3) 手形貸付金

（長 期 貸 付 金）	3,000	（受 取 手 形）	3,000

(4) 電子記録債権

（電 子 記 録 債 権） ＜流 動 資 産＞	9,210	（受 取 手 形）	9,210

(5) 償却債権取立益

（売 掛 金）	700	（償 却 債 権 取 立 益） ＜営 業 外 収 益＞	700

3 貸倒引当金

(1) 一般債権及び貸倒懸念債権

（販売費及び一般管理費） ＜貸倒引当金繰入額＞	＊1	3,515	（貸 倒 引 当 金）	3,545
（貸 倒 引 当 金 繰 入 額） ＜営 業 外 費 用＞	＊2	30		

＊1　① 営業債権に係る戻入額

2,000千円

② 営業債権に係る設定額

一般債権：301,000千円（※）×1％＝3,010千円

懸念債権：5,010千円×50％＝2,505千円

合計：3,010千円＋2,505千円＝5,515千円

※ 受取手形：$\underset{\text{試算表}}{84,410千円}-\underset{\text{上記2(1)}}{5,000千円}-\underset{\text{上記2(3)}}{3,000千円}-\underset{\text{上記2(4)}}{9,210千円}=67,200千円$

売 掛 金：$\underset{\text{試算表}}{239,475千円}-\underset{\text{上記1(3)}}{375千円}-\underset{\text{上記2(2)}}{6,000千円}+\underset{\text{上記2(5)}}{700千円}=233,800千円$

301,000千円

③ ②－①＝3,515千円

＊2　① 営業外債権に係る戻入額

0千円

② 営業外債権に係る設定額

長期貸付金：3,000千円×1％＝30千円

③ ②－①＝30千円

(2) 破産更生債権等

(貸倒引当金繰入額) ＊ 1,485 <特　別　損　失>	(貸　倒　引　当　金)	1,485

＊ ① 破産更生債権等に係る戻入額

1,500千円

② 破産更生債権等に係る設定額

(6,000千円－<u>3,015千円</u>)×100％＝2,985千円
　　　　　　　　担保

③ ②－①＝1,485千円

(3) 財務諸表表示

貸倒引当金のB/S表示（一括間接控除法）

流　動　資　産　分：<u>672千円</u>＋<u>2,338千円</u>＝3,010千円
　　　　　　　　受取手形　　売掛金

投資その他の資産分：<u>30千円</u>＋<u>2,505千円</u>＋<u>2,985千円</u>＝5,520千円
　　　　　　　　長期貸付金　懸念債権　破産更生債権等

(4) 税効果会計

(繰　延　税　金　資　産) ＊ 2,986	(法 人 税 等 調 整 額)	2,986

＊ ① 会計上の貸倒引当金

3,010千円＋5,520千円＝8,530千円

② 税務上の貸倒引当金

0千円

③ （①－②）×35％＝2,986千円（千円未満四捨五入）

4　投資有価証券

(1) ＢＢ株式（売買目的有価証券）

(有　価　証　券) <流　動　資　産>	212	(投 資 有 価 証 券) <試　　算　　表>	200
		(有 価 証 券 評 価 益) <営 業 外 収 益>	12

(2) ＣＣ株式（その他有価証券）

(投 資 有 価 証 券) <投資その他の資産>	19,000	(投 資 有 価 証 券) <試　　算　　表>	41,000
(投資有価証券評価損) <特　別　損　失>	＊ 22,000		

* 41,000千円×50％＝20,500千円≧19,000千円　　∴　減損処理あり

　　41,000千円－19,000千円＝22,000千円

(3) DD株式（その他有価証券）

① 購入時の修正仕訳

（支 払 手 形）	3,200	（長期有価証券購入支払手形）	3,200

② 期末評価

（投 資 有 価 証 券） ＜投資その他の資産＞	4,800	（投 資 有 価 証 券） ＜試　　算　　表＞		3,200
		（繰 延 税 金 負 債）	*	560
		（その他有価証券評価差額金） ＜評価・換算差額等＞	*	1,040

*　 4,800千円 －3,200千円＝1,600千円
　　当期末時価　取得原価

　　1,600千円×35％＝560千円（繰延税金負債）

　　1,600千円－560千円＝1,040千円（その他有価証券評価差額金）

※　純資産項目の増減につき、株主資本等変動計算書への記載が必要となる。

(4) EE株式（関連会社株式）

（関 係 会 社 株 式） ＜投資その他の資産＞	*	4,500	（投 資 有 価 証 券） ＜試　　算　　表＞	*	4,500

*　 当社は、EE社の議決権の20％を所有しているため、EE社は当社の関係会社（関連会社）

　　に該当する。したがって、当該株式は「関係会社株式」として投資その他の資産に表示する。

　　また、EE社株式は関連会社株式に該当するため取得原価をもって貸借対照表価額とする。

(5) FF社債（満期保有目的の債券）

（投 資 有 価 証 券） ＜投資その他の資産＞	*2	30,780	（投 資 有 価 証 券） ＜試　　算　　表＞		28,000
			（有 価 証 券 利 息）	*1	520
			（為 替 差 益）	*3	2,260

*1　 (300千ドル－280千ドル) ×　12カ月／（4年×12カ月）　＝5千ドル
　　　額面金額　債券金額

　　5千ドル×104円／ドル＝520円
　　　　　　　AR

*2　 (280千ドル＋5千ドル)×108円／ドル＝30,780千円
　　　　　　　　　　　　　CR

*3　 30,780千円－(28,000千円＋520千円)＝2,260千円

(6) 自己株式

（自　己　株　式）	3,100	（投 資 有 価 証 券）〈試　　算　　表〉	3,100

※　純資産項目につき、株主資本等変動計算書への記載が必要となる。

5　棚卸資産

(1) 前渡金

（前　　渡　　金）	400	（仮　　払　　金）	400

(2) 商品

（期 首 商 品 棚 卸 高）	24,200	（繰　越　商　品）	24,200
（当 期 商 品 仕 入 高）	1,533,800	（仕　　入　　高）	1,533,800
（見　本　品　費）	1,000	（見 本 品 費 振 替 高）	1,000
（商 品 減 耗 損）〈売　上　原　価〉	*2　700	（期 末 商 品 棚 卸 高）	*1　59,700
（商 品 評 価 損）〈特　別　損　失〉	*3　2,000		
（商　　　　　　品）	*4　57,000		

*1　60,700千円－1,000千円＝59,700千円
　　　帳簿価額　　見本品費

*2　1,700千円－1,000千円＝700千円
　　　　　　　　見本品費

*3　問題文

*4　59,700千円－700千円－2,000千円＝57,000千円
　　　帳簿価額　　減耗損　　評価損

※　売上原価：24,200千円＋1,533,800千円－1,000千円－59,700千円＋700千円＝1,498,000千円
　　　　　　　期首商品　　当期商品仕入　　見本品費　　期末商品　　減耗損

(3) 貯蔵品

（貯　　蔵　　品）	40	（販売費及び一般管理費）〈荷 造 梱 包 品 費〉	40

※　収入印紙及び郵便切手の貯蔵品の振替えは上記1 (2)②参照。

6　有形固定資産

(1) 商品倉庫用建物

①　資産除去債務

（建　　　　　　物）	7,403	（資 産 除 去 債 務）〈固　定　負　債〉	*　7,403

*　11,000千円×0.673＝7,403千円

② 利息費用

（販売費及び一般管理費） ＜利 息 費 用＞	＊	148	（資 産 除 去 債 務）	148

＊　7,403千円×2％＝148千円（千円未満四捨五入）

③ 減価償却

（販売費及び一般管理費） ＜減 価 償 却 費＞	＊	12,020	（減 価 償 却 累 計 額）	12,020

＊　（233,000千円＋7,403千円）×0.050＝12,020千円（千円未満四捨五入）

(2) 営業所建物

① 減価償却

（販売費及び一般管理費） ＜減 価 償 却 費＞	＊	1,500	（減 価 償 却 累 計 額）	1,500

＊　30,000千円×0.050＝1,500千円

② 減損損失

（減 損 損 失） ＜特 別 損 失＞	＊	1,500	（建　　　　　　物）	1,500

＊　減損損失の測定

$$\underset{\text{帳簿価額}}{\underline{6,000千円}}（＝30,000千円－22,500千円－1,500千円）－\underset{\text{回収可能価額}}{\underline{4,500千円}}＝1,500千円$$

(3) 車両運搬具

① 未払金

（未　　　払　　　金）	＊	42,000	（長 期 未 払 金）	42,000

＊　60,000千円－1,500千円×12カ月＝42,000千円

② 減価償却

（販売費及び一般管理費） ＜減 価 償 却 費＞	＊	13,800	（減 価 償 却 累 計 額）	13,800

＊　$69,000千円×0.400×\dfrac{6カ月}{12カ月}＝13,800千円$

(4) 器具備品

（販売費及び一般管理費） ＜減 価 償 却 費＞	＊	2,505	（減 価 償 却 累 計 額）	2,505

＊　① 期首未償却残高：15,000千円－15,000千円×0.500＝7,500千円

　　② 減価償却費：7,500千円×0.334＝2,505千円

7　無形固定資産

（販売費及び一般管理費） ＜ソフトウェア償却＞	2,400	（ソ フ ト ウ ェ ア）	2,400

＊　$12,000千円×\dfrac{12カ月}{5年×12カ月}＝2,400千円$

問題 **8**

解答

8 給与等

(1) 3月分役員報酬

（販売費及び一般管理費） ＜役員報酬＞	5,000	（仮　　払　　金）	4,580
		（預　　り　　金）	420

(2) 賞与引当金

① 当期設定分

（販売費及び一般管理費） ＜賞与引当金繰入額＞	＊ 8,000	（賞　与　引　当　金）	8,000

＊　$12,000千円 \times \dfrac{4カ月}{6カ月} = 8,000千円$

② 税効果会計

（繰　延　税　金　資　産）	＊ 2,800	（法　人　税　等　調　整　額）	2,800

＊　① 会計上の賞与引当金

　　　8,000千円

　② 税務上の貸倒引当金

　　　0千円

　③ （①－②）×35％＝2,800千円

③ 法定福利費

（販売費及び一般管理費） ＜法　定　福　利　費＞	＊ 1,200	（未　　払　　費　　用）	1,200

＊　8,000千円×15％＝1,200千円

(3) 役員退職慰労金

① 表示科目の振替え

（役　員　退　職　慰　労　金） ＜特　別　損　失＞	20,000	（販売費及び一般管理費） ＜給　料　手　当＞	20,000

② 役員退職慰労積立金の取崩し

（役員退職慰労積立金）	15,000	（繰　越　利　益　剰　余　金）	15,000

※ 純資産項目の増減につき、株主資本等変動計算書への記載が必要となる。

9 借入金及び債務保証

(1) ×3年4月1日借入分

① 表示科目の振替え

（借　　入　　金）	39,760	（短　期　借　入　金）	39,760

② 表示科目の振替え

| （支　払　利　息） | *1 | 160 | （短　期　借　入　金） | | 240 |
| （前　払　費　用） | *2 | 80 | | | |

*1　$240千円 \times \dfrac{12 カ月}{18 カ月} = 160千円$

*2　$240千円 \times \dfrac{6 カ月}{18 カ月} = 80千円$

(2) ×2年6月1日借入分

（借　　入　　金）		420,000	（仮　　払　　金）		20,000
			（1年以内返済長期借入金） ＜流　動　負　債＞	*	240,000
			（長　期　借　入　金） ＜固　定　負　債＞	*	160,000

*　420,000千円÷21回＝20,000千円（一回当たりの返済額）

　　（3月の返済分については借入金残高に含まれていることに留意する。）

　　20,000千円×12回＝240,000千円（翌期返済分）

　　420,000千円－20,000千円－240,000千円＝160,000千円

10　諸税金

(1) 法人税、住民税及び事業税

| （法人税、住民税及び事業税） | *1 | 555,555 | （法　人　税　等） | | 324,600 |
| （販売費及び一般管理費）
＜租　税　公　課＞ | *2 | 6,800 | （未　払　法　人　税　等） | *3 | 237,755 |

*1　$\underset{\text{法人税・住民税（年税額）}}{380,005千円 + 120,000千円} + \underset{\text{事業税（所得割）}}{55,550千円} = 555,555千円$

*2　$\underset{\text{事業税（付加価値割・資本割）}}{4,300千円 + 2,500千円} = 6,800千円$

*3　貸借差額

(2) 消費税等

（仮　受　消　費　税　等）		396,000	（仮　払　消　費　税　等）		278,000
			（販売費及び一般管理費） ＜租　税　公　課＞		52,000
			（未　払　消　費　税　等）	*1	65,700
			（雑　　　収　　　入）	*2	300

*1　117,700千円－52,000千円＝65,700千円

*2　貸借差額

(3) 税効果会計

(繰 延 税 金 資 産)	＊	9,030	(法 人 税 等 調 整 額)		9,030

＊　① 会計上の未払事業税

　　　　55,550千円＋4,300千円＋2,500千円－36,550千円＝25,800千円

　　② 税務上の未払事業税

　　　　0千円

　　③ （①－②）×35％＝9,030千円

11　配当及び増資

(1) 剰余金の配当

(繰 越 利 益 剰 余 金)	7,590	(仮　　　払　　　金)	＊1	6,900
		(利　益　準　備　金)	＊2	690

＊1　100円×(71,000株－2,000株)＝6,900千円

＊2　① 100円×(71,000株－2,000株)×$\frac{1}{10}$＝690千円

　　　② $\underset{\text{資本金}}{400,000千円}×\frac{1}{4}-(\underset{\text{資本準備金}}{23,000千円}+\underset{\text{利益準備金}}{18,400千円})＝58,600千円$

　　　③ ①＜②　∴690千円

※　純資産項目の増減につき、株主資本等変動計算書への記載が必要となる。

(2) 新株発行

(仮　　　受　　　金)	14,500	(資　　　本　　　金)	＊1	7,500
(株　式　交　付　費) ＜営　業　外　費　用＞	＊2　500	(資　本　準　備　金)	＊1	7,500

＊1　15,000千円(＝1,500円/株×10,000株)×$\frac{1}{2}$＝7,500千円

＊2　株式交付費は原則的方法により費用処理する。

※　純資産項目の増減につき、株主資本等変動計算書への記載が必要となる。

(3) 資本準備金の振替

(資　本　準　備　金)	3,000	(そ の 他 資 本 剰 余 金)	3,000

12　税効果会計

(1) 前期分

(法 人 税 等 調 整 額)	15,600	(繰 延 税 金 資 産) ＜試　　算　　表＞	15,600

（2）財務諸表表示

①　繰延税金資産

$\underset{\text{貸倒引当金}}{\underline{2,986千円}} - \underset{\text{ＤＤ株式}}{\underline{560千円}} + \underset{\text{賞与引当金}}{\underline{2,800千円}} + \underset{\text{未払事業税}}{\underline{9,030千円}} = 14,256千円$

②　法人税等調整額

$\underset{\text{貸倒引当金}}{\underline{2,986千円}} + \underset{\text{賞与引当金}}{\underline{2,800千円}} + \underset{\text{未払事業税}}{\underline{9,030千円}} - \underset{\text{上記(1)}}{\underline{15,600千円}}$

$= 784千円（法人税、住民税及び事業税に加算）$

13　売上高

（売　　上　　高）	800	（売　上　割　戻）	100
		（売　上　値　引）	700

14　販売費及び一般管理費の明細

残高試算表	1,245,134千円	
租税公課	△　　8千円	（上記1（2））
通信費	△　13千円	（上記1（2））
支払手数料	11千円	（上記1（3））
貸倒引当金繰入額	3,515千円	（上記3（1））
見本品費	1,000千円	（上記5（2））
荷造梱包品費	△　40千円	（上記5（3））
利息費用	148千円	（上記6（1））
建物減価償却費	13,520千円	（上記6（1）（2））
車両減価償却費	13,800千円	（上記6（3））
器具備品減価償却費	2,505千円	（上記6（4））
ソフトウェア償却	2,400千円	（上記7）
役員報酬	5,000千円	（上記8（1））
賞与引当金繰入額	8,000千円	（上記8（2））
法定福利費	1,200千円	（上記8（2））
役員退職慰労金	△　20,000千円	（上記8（3））
租税公課	6,800千円	（上記10（1））
租税公課	△　52,000千円	（上記10（2））
	1,230,972千円	

15　繰越利益剰余金

$\underset{\text{残高試算表}}{\underline{497,210千円}} + \underset{\text{積立金取崩}}{\underline{15,000千円}} - \underset{\text{配当}}{\underline{7,590千円}} + \underset{\text{当期純利益}}{\underline{880,870千円}} = 1,385,490千円$

16　株主資本等変動計算書

(1)　前期ＣＣ社株式評価差額金：（取得原価41,000千円－時価23,000千円）×（1－0.4）

$$=10,800千円（評価損）$$

※　前期は税率40％で計算していることに留意する。

(2)　上記11(2)参照

(3)　上記11(1)参照

(4)　上記8(3)参照

17　株主資本等変動計算書に関する注記

(1)　当該事業年度末日における発行済株式数

71,000株＋10,000株＝81,000株
　前期末　　　増資

(2)　当該事業年度末日における自己株式数

2,000株

(3)　当該事業年度中に行った剰余金の配当に関する事項

配当の総額　6,900千円

（MEMO）

問題**8** 解答

問題 9

※ □で囲まれた数字は配点を示す。

問1

貸 借 対 照 表

Z株式会社　　　　　　　　　×23年3月31日現在　　　　　　　　（単位：千円）

資　産　の　部			負　債　の　部		
科　　目	金　額		科　　目	金　額	
I　流　動　資　産	（　2,344,454）		I　流　動　負　債	（　1,556,796）	
現　金　預　金	①（　805,368）		支　払　手　形	（　461,140）	
受　取　手　形	（　502,000）		買　掛　金	（　716,620）	
貸　倒　引　当　金	（　△　2,510）		短　期　借　入　金	①（　1,300）	
売　　掛　　金	①（　783,200）		（1年以内返済長期借入金）	①（　10,600）	
貸　倒　引　当　金	（　△　3,916）		未　　払　　金	（　202,960）	
製　　　　品	①（　82,000）		（未　払　法　人　税　等）	①（　53,967）	
仕　　掛　　品	（　40,368）		（未　払　消　費　税　等）	①（　16,120）	
材　　　　料	（　43,680）		未　払　費　用	①（　13,089）	
未　　収　　金	（　33,600）		賞　与　引　当　金	①（　45,000）	
貸　倒　引　当　金	（　△　168）		役　員　賞　与　引　当　金	①（　36,000）	
（未　収　収　益）	①（　132）				
固定資産購入手付金	①（　60,000）		II　固　定　負　債	（　218,400）	
仮 払 旅 費 交 通 費	①（　700）		長　期　借　入　金	（　42,400）	
			退　職　給　付　引　当　金	（　136,000）	
II　固　定　資　産	（　2,457,923）		営　業　保　証　金	（　40,000）	
有形固定資産	（　2,164,671）		負　債　合　計	（　1,775,196）	
建　　　　物	（　825,600）		純　資　産　の　部		
機　械　装　置	（　375,623）		I　株　主　資　本	（　3,027,251）	
工具、器具及び備品	①（　138,580）		資　　本　　金	（　100,000）	
土　　　　地	（　824,868）		資　本　剰　余　金	（　57,000）	
			資　本　準　備　金	（　48,000）	
無形固定資産	（　4,780）		その他資本剰余金	（　9,000）	
ソ フ ト ウ ェ ア	（　1,380）		利　益　剰　余　金	（　2,874,451）	
ソフトウェア仮勘定	①（　3,400）		利　益　準　備　金	（　72,000）	

（次頁に続く）

			その他利益剰余金		(2,802,451)	
投資その他の資産		(288,472)	別 途 積 立 金		(548,972)	
投 資 有 価 証 券	① (	53,924)	繰 越 利 益 剰 余 金		(2,253,479)	
（関 係 会 社 株 式）	① (	118,000)	自 己 株 式	① (	△ 4,200)	
長 期 預 金	(	33,000)	Ⅱ 評価・換算差額等		(△ 70)	
長 期 未 収 金	(	8,400)	（その他有価証券評価差額金）	① (	△ 70)	
貸 倒 引 当 金	(	△ 42)				
ゴ ル フ 会 員 権	(	1,500)				
貸 倒 引 当 金	(	△ 600)				
（破 産 更 生 債 権 等）	① (	5,000)				
貸 倒 引 当 金	(	△ 3,000)				
繰 延 税 金 資 産	(	72,290)				
			純 資 産 合 計		(3,027,181)	
資 産 合 計	(	4,802,377)	負債及び純資産合計		(4,802,377)	

自×22年4月1日

Ｚ株式会社 　　　　　至×23年3月31日 　　　　　　　（単位：千円）

科　　　　　目	金		額	
売　　上　　高			（	4,726,240）
売　上　原　価			（	2,356,720）
売　上　総　利　益			（	2,369,520）
販売費及び一般管理費			（	1,965,785）
営　業　利　益			（	403,735）
営　業　外　収　益				
受取利息及び配当金	②	（32,967）		
（為　替　差　益）	②	（600）		
投資不動産賃貸料		（15,600）	（	49,167）
営　業　外　費　用				
支　払　利　息		（30,049）		
（支　払　手　数　料）	②	（30）		
貸倒引当金繰入額	②	（210）		
遊休建物減価償却費	②	（18,750）	（	49,039）
経　常　利　益			（	403,863）
特　別　損　失				
貸　倒　損　失	②	（28,500）		
貸倒引当金繰入額	②	（2,100）		
ゴルフ会員権評価損	②	（1,000）	（	31,600）
税引前当期純利益			（	372,263）
法人税、住民税及び事業税	②	（97,239）		
法人税等調整額		（14,440）	（	111,679）
当　期　純　利　益			（	260,584）

問2　製造原価明細書（一部）

（単位：千円）

科　　目	金	額
Ⅰ　材　　料　　費		② （　　　1,096,360）
Ⅱ　労　　務　　費		
賞 与 引 当 金 繰 入 額	（　　　22,500）	
退 職 給 付 費 用	② （　　　10,500）	
そ の 他 労 務 費	（　　　602,920）	（　　　635,920）
Ⅲ　経　　　　　費		
減 価 償 却 費	② （　　　425,657）	
ソ フ ト ウ ェ ア 償 却	② （　　　720）	
材 料 減 耗 損	② （　　　1,560）	
そ の 他 経 費	（　　　176,450）	（　　　604,387）
当 期 総 製 造 費 用		（　　2,336,667）

問3　完答で②

イ	原価法	ロ	時価法	ハ	全部純資産直入法
ニ	定額法	ホ	年金資産	ヘ	発生年度の翌期

【配　点】　　①×20カ所　　②×15カ所　　合計50点

解答

—187—

（仕訳の単位：千円）

1 現金及び預金に関する事項

(1) 金庫の実査

① 掛代金の決済に係る小切手

（現 金 及 び 預 金）	2,000	（売 掛 金）	2,000

② 配当金領収証

（現 金 及 び 預 金）	80	（受取利息及び配当金） ＜営 業 外 収 益＞	100
（法人税、住民税及び事業税）	20		

(2) 仮払旅費交通費

（仮 払 旅 費 交 通 費） ＊	700	（仮 払 金）	700

＊ 従業員の出張にあたり、出張旅費を概算で先払いしている場合、当該出張に係る仮払金は、期末の状況に応じて適切な表示科目に振替えなければならない。期末現在出張中の場合には、当該出張に係る仮払金を「仮払旅費交通費」として B/S 流動資産に表示する。

(3) 外貨建定期預金

（長 期 預 金） ＊1	33,000	（現 金 預 金）	32,400
		（為 替 差 益） ＜営 業 外 収 益＞	600
（未 収 収 益）	132	（受取利息及び配当金） ＊2 ＜営 業 外 収 益＞	132

＊1　300千ドル×110円/ドル＝33,000千円

＊2　$300千ドル×1.2\%×\dfrac{4\,カ月}{12\,カ月}×110円/ドル＝132千円$

2 金銭債権に関する事項

(1) 貸倒損失

（仮 受 金）	24,000	（長 期 貸 付 金）	80,000
（貸 倒 引 当 金）	27,500		
（貸 倒 損 失） ＜特 別 損 失＞	28,500		

(2) 長期未収金

（未 収 金） ＊1	33,600	（長 期 未 収 金）	42,000
（長 期 未 収 金） ＊2	8,400		

＊1　$42,000千円×\dfrac{12\,カ月}{15\,カ月}＝33,600千円$

＊2　$42,000千円×\dfrac{3\,カ月}{15\,カ月}＝8,400千円$

(3) 破産更生債権等

（破 産 更 生 債 権 等）	＊	5,000	（受　取　手　形）			2,850
			（売　掛　金）			2,150

＊　電子交換所における取引停止処分（銀行取引停止処分）等の事由が生じているなど、経営
　破綻に陥っている債務者に対する債権は、破産更生債権等として表示する。なお、答案スペ
　ースから破産更生債権等は投資その他の資産に表示することとなる。

3　貸倒引当金に関する事項

(1) 一般債権

（貸 倒 引 当 金 繰 入 額） ＜販売費及び一般管理費＞	＊1	1,226	（貸　倒　引　当　金）	1,436
（貸 倒 引 当 金 繰 入 額） ＜営 業 外 費 用＞	＊2	210		

＊1　① 受取手形：(504,850千円－2,850千円)×0.5％＝2,510千円
　　　　　　　　　　試算表　　　破産更生

　　　② 売掛金：(787,350千円－2,000千円－2,150千円)×0.5％＝3,916千円
　　　　　　　　　試算表　　　上記1(1)①　破産更生

　　　③ (①＋②)－5,200千円＝1,226千円
　　　　　　　　　　　前期設定額

＊2　① 未収金：33,600千円×0.5％＝168千円

　　　② 長期未収金：8,400千円×0.5％＝42千円

　　　③ (①＋②)－0千円(※)＝210千円
　　　　　　　　　　　前期設定額

　　　　※　未収金は当期に発生したものである。

(2) 破産更生債権等

（貸 倒 引 当 金 繰 入 額） ＜特　別　損　失＞	＊	1,500	（貸　倒　引　当　金）	1,500

＊　① 5,000千円－2,000千円＝3,000千円
　　　上記2(3)　　　担保

　　② 1,500千円
　　　前期設定額

　　③ ①－②＝1,500千円

(3) 税効果会計

（繰 延 税 金 資 産）	＊	2,891	（法 人 税 等 調 整 額）	2,891

＊　① 会計上の簿価：(502,000千円＋783,200千円＋42,000千円＋5,000千円)－9,636千円
　　　　　　　　　　　　受取手形　　　売掛金　　　未収金　　　破産更生　　　貸引

　　　　　　　　　＝1,322,564千円

　　② 税務上の簿価：502,000千円＋783,200千円＋42,000千円＋5,000千円＝1,332,200千円
　　　　　　　　　　　受取手形　　　売掛金　　　未収金　　　破産更生

③ （②－①）×30％＝2,891千円（千円未満四捨五入）

(4) ① ゴルフ会員権の評価

（ゴルフ会員権評価損） <特　別　損　失>	*1	1,000	（ゴ ル フ 会 員 権）	1,000
（貸倒引当金繰入額） <特　別　損　失>	*2	600	（貸 倒 引 当 金）	600

＊1　2,500千円－1,500千円＝1,000千円
　　　取得価額　　預託金

＊2　1,500千円－900千円＝600千円
　　　預託金　　　時価

② 税効果会計

（繰 延 税 金 資 産）	＊	480	（法 人 税 等 調 整 額）	480

＊　① 会計上の簿価：（2,500千円－1,000千円）－600千円＝900千円
　　　　　　　　　　　試算表　　　評価損　　貸引

② 税務上の簿価：2,500千円

③ （②－①）×30％＝480千円

4　有価証券に関する事項

(1) ＡＡ社株式（その他有価証券）

（投 資 有 価 証 券）		24,600	（有　　価　　証　　券）	24,700
（繰 延 税 金 資 産）	*1	30		
（その他有価証券評価差額金）	*2	70		

＊1　（24,700千円－24,600千円）×30％＝30千円

＊2　（24,700千円－24,600千円）－30千円＝70千円

(2) ＥＥ社株式（子会社株式）

（関 係 会 社 株 式）	＊	118,000	（有　　価　　証　　券）	118,000

＊　当社と当社代表取締役（同意している者）とを併せて議決権の50％超（14％＋46％＝60％）
を保有しており、かつ、ＥＥ社の会社の取締役会等の構成員の総数に対する自己の役員の割
合が50％超（90％）であるため、ＥＥ社は当社の子会社に該当する。

(3) ＦＦ社社債（満期保有目的の債券）

（投 資 有 価 証 券）	29,324	（有　　価　　証　　券）		29,109
		（受取利息及び配当金） <営 業 外 収 益>	＊	215

＊　29,109千円×2.8％－30,000千円×2％＝215千円（千円未満四捨五入）

(4) 自己株式

（自　己　株　式）	*1　4,200	（有　価　証　券）	4,200
（支　払　手　数　料）	*2　30	（仮　払　金）	30
＜営　業　外　費　用＞			

＊1　自己株式は取得原価により評価し、純資産の部の株主資本の末尾に自己株式として一括
して控除する形式で表示する。

＊2　自己株式の取得に係る付随費用は取得原価に算入せず、「支払手数料」として営業外費用
に計上する。

5　棚卸資産に関する事項

(1) 製品

（期　首　製　品　棚　卸　高）	104,320	（製　　　　　品）	104,320
（工具、器具及び備品）	1,500	（工具、器具及び備品振替高）	*1　1,500
（製　　　　　品）	82,000	（期　末　製　品　棚　卸　高）	*2　82,000

＊1　（3,340個－3,280個）×25,000円＝1,500千円

＊2　3,280個×25,000円＝82,000千円

(2) 仕掛品

（期　首　仕　掛　品　棚　卸　高）	45,601	（仕　　掛　　品）	45,601
（研　究　開　発　費） ＜販売費及び一般管理費＞	6,000	（研　究　開　発　費　振　替　高）	6,000
（仕　　掛　　品）	*　40,368	（期　末　仕　掛　品　棚　卸　高）	40,368

＊　46,368千円－6,000千円＝40,368千円

(3) 材料

（期　首　材　料　棚　卸　高）	82,400	（材　　　　　料）	82,400
（当　期　材　料　仕　入　高）	1,059,200	（材　　料　　仕　　入）	1,059,200
（材　料　減　耗　損） ＜製　造　経　費＞	*2　1,560	（期　末　材　料　棚　卸　高）	*1　45,240
（材　　　　　料）	*3　43,680		

＊1　11,600kg×3,900円＝45,240千円

＊2　（11,600kg－11,200kg）×3,900円＝1,560千円

＊3　45,240千円－1,560千円＝43,680千円

(4) 材料費

82,400千円＋1,059,200千円－45,240千円＝1,096,360千円
　期首材料　　　材料仕入　　　期末材料

問題
9

解答

(5) 労務費

$$625,920千円 - 23,000千円 + 22,500千円 + 10,500千円 = 635,920千円$$

　　試算表　　　　従業員賞与　　　　退職給付

(6) 製造経費

$$559,380千円 + 1,560千円 + 26,875千円 + 15,852千円 + \underline{720千円} = 604,387千円$$

　　試算表　　減耗損　　　減価償却費　　　ソフトウェア償却

(7) 当期総製造費用

$$(4) + (5) + (6) = 2,336,667千円$$

(8) 当期製品製造原価

$$\underline{45,601千円} + \underline{2,336,667千円} - 6,000千円 - \underline{40,368千円} = 2,335,900千円$$

期首仕掛品　当期総製造費用　振替高　　期末仕掛品

(9) 売上原価

$$\underline{104,320千円} + \underline{2,335,900千円} - 1,500千円 - \underline{82,000千円} = 2,356,720千円$$

期首製品　　当期総製造費用　　振替高　　期末製品

6　有形固定資産に関する事項

(1) 減価償却費の振替え

（減　価　償　却　費） ＜製　　造　　経　　費＞	382,930	（製　　造　　経　　費）	382,930

　※　製造原価報告書　その他経費：試算表製造経費559,380千円 − 減価償却費382,930千円

　　　　　　　　　　　　　　　= 176,450千円

(2) 建物ＧＧ

（減　価　償　却　費）　*1　　6,250 ＜販売費及び一般管理費＞		（建物減価償却累計額）	25,000
（遊休建物減価償却費）　*2　18,750 ＜営　業　外　費　用＞			

$$*1 \quad 500,000千円 \times \frac{1年}{20年} \times \frac{3カ月}{12カ月} = 6,250千円$$

$$*2 \quad 500,000千円 \times \frac{1年}{20年} \times \frac{9カ月}{12カ月} = 18,750千円$$

(3) 機械装置ＨＨ

（減　価　償　却　費）　*　26,875 ＜製　　造　　経　　費＞		（機械装置減価償却累計額）	26,875

　*　①　償却率による当期の減価償却費

　　　　（120,000千円 − 12,500千円）× 0.250 = 26,875千円

　　②　償却保証額

　　　　120,000千円 × 0.07909 = 9,491千円（千円未満四捨五入）

　　③　① > ②　∴　26,875千円

(4) 機械装置ⅠⅠ

（減 価 償 却 費） ＜製 造 経 費＞	＊ 15,852	（機械装置減価償却累計額） 15,852

＊ ① 償却率による当期の減価償却費

(200,000千円－152,539千円(＝47,461千円))×0.250＝11,865千円（千円未満四捨五入）

② 償却保証額

200,000千円×0.07909＝15,818千円

③ ①＜② ∴ <u>47,461千円</u> × <u>0.334</u> ＝15,852千円（千円未満四捨五入）
　　　　　　期首帳簿価額　　改定償却率

調整前償却額が償却保証額を下回るため、均等償却へ切り替える。

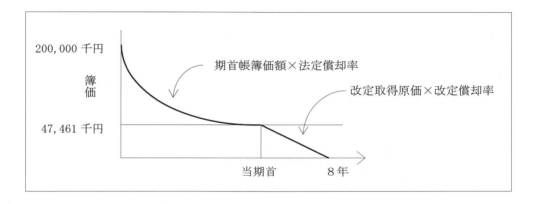

(5) 手付金

（固定資産購入手付金） ＜流 動 資 産＞	＊ 60,000	（仮 払 金） 60,000

＊ 建設仮勘定は、建物、機械装置その他の有形固定資産を建設した場合の手付金に対して使
用する科目である。本問のように有形固定資産を購入するための手付金等については建設仮
勘定を使用せず「固定資産購入手付金」等の科目で流動資産又は固定資産・有形固定資産に
表示することとなる。

(6) 財務諸表表示

① 有形固定資産の貸借対照表表示

建物：<u>1,720,000千円</u>－<u>894,400千円</u>＝825,600千円
　　　取得原価　　　減価償却累計額

機械装置：<u>876,000千円</u>－<u>500,377千円</u>＝375,623千円
　　　　　取得原価　　　減価償却累計額

備品等：<u>298,000千円</u>＋<u>1,500千円</u>－<u>160,920千円</u>＝138,580千円
　　　　取得原価　　上記5(1)　　減価償却累計額

② 減価償却累計額

建物：<u>869,400千円</u>＋<u>25,000千円</u>＝894,400千円
　　　試算表　　　　上記(2)

機械装置：<u>457,650千円</u>＋<u>26,875千円</u>＋<u>15,852千円</u>＝500,377千円
　　　　　試算表　　　　上記(3)　　　　上記(4)

備品等：<u>160,920千円</u>
　　　　試算表

7　ソフトウェアに関する事項

(1) ソフトウェアＪＪ

| （ソフトウェア制作費）
＜販売費及び一般管理費＞ | ＊ | 100 | （ソフトウェア） | 100 |

　＊　将来の収益獲得又は費用削減が確実であると認められない場合又は確実であるかどうか不
　　明な場合は、全額発生時に費用処理し、「ソフトウェア制作費」等の科目をもって販売費及び
　　一般管理費の区分に表示する。

(2) ソフトウェアＫＫ

| （ソフトウェア償却）
＜製　造　経　費＞ | ＊ | 720 | （ソフトウェア） | 720 |

　＊　$2,100千円 \times \dfrac{12カ月}{5年 \times 12カ月 - 25カ月} = 720千円$

(3) ソフトウェアＬＬ

| （ソフトウェア仮勘定） | ＊ | 3,400 | （ソフトウェア） | 3,400 |

　＊　制作途中のソフトウェアの制作費については、無形固定資産の仮勘定として計上する。

8　特許権に関する事項

| （研　究　開　発　費）
＜販売費及び一般管理費＞ | ＊ | 1,500 | （特　　許　　権） | 1,500 |

　＊　特定の研究開発目的にのみ使用され、他の目的に使用できない機械装置や特許権等を取得
　　した場合の原価は、取得時の研究開発費とする。

9 借入金に関する事項

(1) 長期借入金

（長　期　借　入　金）	53,000	（1年以内返済長期借入金）	*1	10,600
		（長　期　借　入　金）	*2	42,400
（支　払　利　息）	689	（未　払　費　用）	*3	689

* 1　53,000千円÷5回＝10,600千円

　　　当期中に借入れたものであるが、翌期中に債務全体の返済が完了しないため「1年以内返済長期借入金」として表示する。

* 2　差額

* 3　53,000千円×2.6%× $\dfrac{6\,カ月}{12\,カ月}$ ＝689千円

(2) 手形借入金

（支　払　手　形）	1,300	（短　期　借　入　金）	1,300

10 従業員賞与に関する事項

(1) 前期末の取崩し

（賞　与　引　当　金）	46,000	（支　払　賞　与） <販売費及び一般管理費>	*	23,000
		（そ　の　他　労　務　費） <労　　務　　費>	*	23,000

*　46,000千円× $\dfrac{5}{10}$ ＝23,000千円

※　製造原価報告書　その他労務費：試算表労務費625,920千円－その他労務費23,000千円
　　　　　　　　　　　　　　　＝602,920千円

(2) 当期末の計上

（賞 与 引 当 金 繰 入 額） <販売費及び一般管理費>	*2 22,500	（賞　与　引　当　金）	*1	45,000
（賞 与 引 当 金 繰 入 額） <労　　務　　費>	*2 22,500			

* 1　67,500千円× $\dfrac{4\,カ月}{6\,カ月}$ ＝45,000千円

* 2　45,000千円× $\dfrac{5}{10}$ ＝22,500千円

(3) 税効果会計

（繰　延　税　金　資　産）	* 13,500	（法 人 税 等 調 整 額）	13,500

*　①　会計上の簿価：45,000千円

　　②　税務上の簿価：0千円

　　③　（①－②）×30%＝13,500千円

11　役員賞与引当金に関する事項

(1) 役員賞与引当金

（役員賞与引当金繰入額） ＜販売費及び一般管理費＞	36,000	（役員賞与引当金）	36,000

(2) 税効果会計

（繰延税金資産） ＊	10,800	（法人税等調整額）	10,800

＊　①　会計上の簿価：36,000千円

　　②　税務上の簿価：0千円

　　③　（①－②）×30％＝10,800千円

12　退職給付引当金に関する事項

(1) 掛金拠出及び一時金支給

（退職給付引当金） ＊	28,000	（仮　払　金）	28,000

＊　<u>23,000千円</u>＋<u>5,000千円</u>＝28,000千円
　　掛金拠出　　一時金支給

(2) 当期繰入額

（退職給付費用） ＜販売費及び一般管理費＞	＊2 10,500	（退職給付引当金）	＊1 21,000
（退職給付費用） ＜労　務　費＞	＊2 10,500		

＊1　①　期首未認識過去勤務費用

$$\underset{\text{期首未積立退職給付債務}}{148,000千円} - \underset{\text{期首未認識数理差異（借方差異）}}{35,000千円} - \underset{\text{期首退職給付引当金}}{143,000千円}$$

＝△30,000千円（貸方差異）

　　②　数理計算上の差異の費用処理額

$$\underset{\text{期首未認識数理差異}}{35,000千円} - \underset{\text{期末未認識数理差異（借方差異）}}{28,000千円} \underset{\text{貸方差異}}{-1,200千円} + \underset{\text{借方差異}}{240千円}$$

＝6,040千円

　　※　表中において与えられている未認識数理計算上の差異は「当期末の金額」であるため、「当期発生額」を加味して「当期費用処理額」を算定することとなる。

　　③　過去勤務費用の費用処理額

$$\underset{\text{期首貸方差異}}{30,000千円} \times \frac{1年}{16年-1年} = 2,000千円$$

　　④　利息費用

$$\underset{\text{期首退職給付債務}}{287,000千円} \times 3\% = 8,610千円$$

⑤ 勤務費用

$$\underset{\text{期末退職給付債務}}{296,540\text{千円}} - \underset{\text{借方差異}}{240\text{千円}} - (\underset{\text{期首退職給付債務}}{287,000\text{千円}} + \underset{\text{利息費用}}{8,610\text{千円}} - \underset{\text{年金給付}}{11,000\text{千円}}$$

$$- \underset{\text{一時金支給}}{5,000\text{千円}}) = 16,690\text{千円}$$

⑥ 期待運用収益

$$\underset{\text{期首年金資産}}{139,000\text{千円}} \times 6\% = 8,340\text{千円}$$

⑦ ②－③＋④＋⑤－⑥＝21,000千円

*2 $21,000\text{千円} \times \dfrac{5}{10} = 10,500\text{千円}$

(3) 税効果会計

（繰 延 税 金 資 産）	＊	40,800	（法 人 税 等 調 整 額）	40,800

＊ ① 会計上の簿価：143,000千円－28,000千円＋21,000千円＝136,000千円

② 税務上の簿価：0千円

③ （①－②）×30％＝40,800千円

13 諸税金に関する事項

(1) 法人税等

（法人税、住民税及び事業税）	＊1	97,219	（法　人　税　等）		43,252
			（未 払 法 人 税 等）	＊2	53,967

＊1 $\underset{\text{法人税・住民税}}{75,059\text{千円}} + \underset{\text{事業税}}{22,180\text{千円}} - \underset{\text{上記1(1)②で既に処理済}}{20\text{千円}} = 97,219\text{千円}$

＊2 貸借差額

(2) 消費税等

（仮 受 消 費 税 等）		472,624	（仮 払 消 費 税 等）		438,967
（租　税　公　課） ＜販売費及び一般管理費＞	＊2	13	（仮　　払　　金） ＜試　算　表＞		17,550
			（未 払 消 費 税 等）	＊1	16,120

＊1 33,670千円－17,550千円＝16,120千円

＊2 貸借差額

(3) 税効果会計

（繰 延 税 金 資 産）	＊	3,789	（法 人 税 等 調 整 額）	3,789

＊ ① 会計上の簿価：22,180千円－9,550千円＝12,630千円

② 税務上の簿価：0千円

③ （①－②）×30％＝3,789千円

14 税効果に関する事項

(1) 前期分

（法 人 税 等 調 整 額）	86,700	（繰 延 税 金 資 産）	86,700

(2) 財務諸表表示

① 繰延税金資産

$$\underset{\text{貸引・ゴルフ}}{2,891千円+480千円}+\underset{\text{AA社株式}}{30千円}+\underset{\text{賞与}}{13,500千円}+\underset{\text{役員賞与引当金}}{10,800千円}+\underset{\text{退職引当金}}{40,800千円}$$

$$+\underset{\text{未払事業税}}{3,789千円}=72,290千円$$

② 法人税等調整額

$$\underset{\text{上記(1)}}{86,700千円}-(\underset{\text{貸引・ゴルフ}}{2,891千円+480千円}+\underset{\text{賞与}}{13,500千円}+\underset{\text{役員賞与引当金}}{10,800千円}+\underset{\text{退職引当金}}{40,800千円}$$

$$+\underset{\text{未払事業税}}{3,789千円})=14,440千円（借方残高）$$

15 繰越利益剰余金

$$\underset{\text{試算表}}{1,992,895千円}+\underset{\text{純利益}}{260,584千円}=2,253,479千円$$

16 販売費及び一般管理費

残高試算表		1,904,696千円
貸 倒 引 当 金 繰 入 額	上記3(1)	1,226千円
研 究 開 発 費	上記5(2)	6,000千円
減 価 償 却 費	上記6(2)	6,250千円
ソ フ ト ウ ェ ア 制 作 費	上記7(1)	100千円
研 究 開 発 費	上記8	1,500千円
賞 与 ・ 賞 与 引 当 金 繰 入 額	上記10	△23,000千円＋22,500千円
役 員 賞 与 引 当 金 繰 入 額	上記11(1)	36,000千円
退 職 給 付 費 用	上記12(2)	10,500千円
租 税 公 課	上記13(2)	13千円
合 計		1,965,785千円

（MEMO）

問題**9**　解答

※　□で囲まれた数字は配点を示す。

問1　乙商事株式会社の第30期の貸借対照表及び損益計算書

貸 借 対 照 表

X2021年3月31日現在　　　　　　　　　（単位：千円）

資 産 の 部			負 債 の 部		
科　目		金　額	科　目		金　額
I　流 動 資 産		（　548,833）	I　流 動 負 債		（　525,975）
現 金 預 金	①（	68,460）	買 掛 金		297,670
受 取 手 形	①（	52,800）	短 期 借 入 金	①（	17,200）
売 掛 金	①（	254,200）	〔リ ー ス 債 務〕	①（	14,280）
商 品	①（	172,048）	未 払 金		44,900
貯 蔵 品	①（	8,640）	未 払 法 人 税 等	①（	29,550）
〔未 収 収 益〕	①（	165）	未 払 消 費 税 等	①（	19,200）
貸 倒 引 当 金	①（	△ 7,480）	預 り 金		33,600
II　固 定 資 産		（　462,936）	未 払 費 用	①（	47,575）
有 形 固 定 資 産		（　125,199）	賞 与 引 当 金	①（	22,000）
建 物	①（	12,770）	II　固 定 負 債		（　120,890）
車 両		（　7,325）	長 期 借 入 金	①（	60,200）
〔リ ー ス 資 産〕	①（	55,930）	退職給付引当金	①（	19,040）
土 地		39,174	〔長期リース債務〕	①（	41,650）
建 設 仮 勘 定	①（	10,000）	負 債 合 計		（　646,865）
無 形 固 定 資 産		（　252,960）	純 資 産 の 部		
ソ フ ト ウ ェ ア	①（	14,960）	I　株 主 資 本		（　381,148）
の れ ん	①（	238,000）	資 本 金		108,000
〔投資その他の資産〕		（　84,777）	資 本 剰 余 金		（　10,250）
投 資 有 価 証 券	①（	17,655）	〔資 本 準 備 金〕	①（	9,175）
〔関 係 会 社 株 式〕	①（	3,600）	〔その他資本剰余金〕	①（	1,075）
〔長 期 預 金〕	①（	33,000）	利 益 剰 余 金		（　264,368）
〔破産更生債権等〕	①（	11,000）	〔利 益 準 備 金〕	①（	17,825）
差 入 保 証 金	①（	2,800）	〔その他利益剰余金〕		（　246,543）
繰 延 税 金 資 産	①（	24,722）	繰 越 利 益 剰 余 金		（　246,543）

（次頁に続く）

	貸 倒 引 当 金	1 (	△ 8,000)	自 己 株 式	1 (	△ 1,470)
Ⅲ	繰 延 資 産	(	16,640)	Ⅱ 評価・換算差額等	(	396)
	〔開　発　費〕	1 (	16,640)	その他有価証券評価差額金	1 (	396)
				純 資 産 合 計	(	381,544)
	資 産 合 計	(	1,028,409)	負債及び純資産合計	(	1,028,409)

問題
10

解答

損 益 計 算 書

自 X2020年4月1日

至 X2021年3月31日　　　　　　　　　　　（単位：千円）

科　　　　　目	金		額
売　　上　　高		1（	4,364,400）
売　上　原　価		1（	3,688,682）
〔売 上 総 利 益〕		（	675,718）
販売費及び一般管理費		（	561,405）
〔営 業 利 益〕		（	114,313）
営 業 外 収 益			
受 取 利 息	1（　　　1,185）		
受 取 配 当 金	1（　　　　780）		
有 価 証 券 利 息	1（　　　　 55）		
〔為 替 差 益〕	1（　　　1,500）		
雑　　収　　入	1,400	（	4,920）
営 業 外 費 用			
支 払 利 息	1（　　　1,220）		
雑　　損　　失	2,000	（	3,220）
〔経 常 利 益〕		（	116,013）
特 別 利 益			
国 庫 補 助 金 収 入	2,000		
〔投資有価証券売却益〕	1（　　　　 40）	（	2,040）
特 別 損 失			
〔商 品 評 価 損〕	1（　　　　870）		
〔貸 倒 引 当 金 繰 入 額〕	1（　　　4,000）	（	4,870）
〔税 引 前 当 期 純 利 益〕		（	113,183）
法人税、住民税及び事業税	1（　　 45,595）		
法 人 税 等 調 整 額	1（　　△ 470）	（	45,125）
〔当 期 純 利 益〕		（	68,058）

問2　乙商事株式会社の第30期の株主資本等変動計算書の各金額

（単位：千円）

①	1（　　△ 1,075）	②	1（　　　 30）	③	1（　　△ 2,100）
④	1（　　△ 144）				

【配　点】　1 ×50カ所　　合計50点

—202—

（仕訳の単位：千円）

問1について

1 現金預金に関する事項

(1) 表示科目への振替え

（現 金 預 金）	100,750	（現 金）	2,950
		（当 座 預 金）	33,500
		（普 通 預 金）	32,800
		（定 期 預 金）	31,500

(2) 金庫の実査

① 他人振出の当座小切手

現金有高報告書における期末日残高の合計額（2,400千円）に、紙幣及び硬貨（310千円）及び他人振出の当座小切手（240千円）を加算した金額（2,950千円）が、決算整理前残高試算表の現金（2,950千円）と一致することから、他人振出の当座小切手は適正に処理済みと読み取ることとなる。

② 配当金領収証

（現 金 預 金）	510	（受 取 配 当 金）	600
（法人税、住民税及び事業税）	90		

(3) 当座預金

① 未取付小切手

銀行側の調整項目であるため処理不要。

② 水道光熱費の自動引落し

（販売費及び一般管理費） ＜水 道 光 熱 費＞	500	（現 金 預 金）	500

(4) 普通預金（差入保証金の支払）

（差 入 保 証 金）	800	（現 金 預 金）	＊	800

＊ 32,800千円－32,000千円＝800千円
　　帳簿残高　　　銀行残高

(5) 定期預金（外貨建定期預金）

（長 期 預 金）	＊1 33,000	（現 金 預 金）		31,500
		（為 替 差 益）		1,500
（未 収 収 益）	＊2 165	（受 取 利 息）		165

＊1 300千ドル×110円／ドル＝33,000千円
　　　　　　　　決算日レート

＊2 $300千ドル×1\%×\dfrac{6カ月}{12カ月}×110円／ドル=165千円$
　　　　　　　　　　　　　　　　　決算日レート

問題10 解答

2 受取手形及び売掛金に関する事項

(1) 掛売上の計上漏れ

（売　　　掛　　　金）	1,200	（売　　　　上　　　　高）	1,200

(2) 得意先D社に対する受取手形

　　貸倒懸念債権に該当するため特別な表示は要しない。

(3) 得意先E社に対する受取手形及び売掛金

（破 産 更 生 債 権 等） ＜投資その他の資産＞	11,000	（受　　取　　手　　形）	8,000
		（売　　　掛　　　金）	3,000

3 貸倒引当金に関する事項

(1) 一般債権

（販売費及び一般管理費） ＜貸倒引当金繰入額＞	＊	680	（貸　倒　引　当　金）	680

　　＊　① 一般債権に係る戻入額

$$\underset{\text{前期設定分}}{\underline{2,390千円}}-\underset{\text{D社}}{\underline{90千円}}=2,300千円$$

　　　　② 一般債権に係る繰入額

　　　　　(a) 受取手形：$\underset{\text{試算表}}{\underline{60,800千円}}-\underset{\text{上記2(2)}}{\underline{9,000千円}}-\underset{\text{上記2(3)}}{\underline{8,000千円}}(=43,800千円)×1％=438千円$

　　　　　(b) 売掛金：$\underset{\text{試算表}}{\underline{256,000千円}}+\underset{\text{上記2(1)}}{\underline{1,200千円}}-\underset{\text{上記2(3)}}{\underline{3,000千円}}(=254,200千円)×1％=2,542千円$

　　　　　(c) (a)＋(b)＝2,980千円

　　　　③ ②－①＝680千円

(2) 貸倒懸念債権

（販売費及び一般管理費） ＜貸倒引当金繰入額＞	＊	4,410	（貸　倒　引　当　金）	4,410

　　＊　① 貸倒懸念債権に係る戻入額

　　　　　90千円（前期設定分）

　　　　② 貸倒懸念債権に係る繰入額

　　　　　9,000千円×50％＝4,500千円

　　　　③ ②－①＝4,410千円

(3) 破産更生債権等

（貸倒引当金繰入額）　＊　4,000 ＜特　別　損　失＞	（貸　倒　引　当　金）　　4,000

　　＊　①　破産更生債権等に係る戻入額

　　　　　　4,000千円（前期設定分）

　　　　②　破産更生債権等に係る繰入額

　　　　　　（11,000千円－3,000千円）＝8,000千円

　　　　③　②－①＝4,000千円

(4) 税効果会計

（繰　延　税　金　資　産）　＊　6,192	（法 人 税 等 調 整 額）　＊　6,192

　　＊　①　会計上の貸倒引当金：　<u>　2,980千円　</u>＋<u>　4,500千円　</u>＋<u>　8,000千円　</u>
　　　　　　　　　　　　　　　　　　受取手形及び売掛金　貸倒懸念債権　破産更生債権等

　　　　　　　　　　　　　　　　＝15,480千円

　　　　②　税務上の貸倒引当金：0千円

　　　　③　税効果額：（①－②）×40％＝6,192千円

(5) 財務諸表表示

　　①　貸倒引当金の貸借対照表表示

　　　　流動資産：<u>　2,980千円　</u>＋<u>　4,500千円　</u>＝7,480千円
　　　　　　　　　受取手形及び売掛金　貸倒懸念債権

　　　　投資その他の資産：8,000千円（破産更生債権等）

　　②　貸倒引当金繰入額の損益計算書表示

　　　　販売費及び一般管理費：<u>　680千円　</u>＋<u>　4,410千円　</u>＝5,090千円
　　　　　　　　　　　　　　　受取手形及び売掛金　貸倒懸念債権

　　　　特別損失：4,000千円（破産更生債権等）

4　有価証券に関する事項

(1) F社株式（関連会社株式）

（関 係 会 社 株 式）　＊　3,600	（有　価　証　券）　　3,600

　　＊　当社は緊密な者とあわせてF社の議決権の20％以上（6％＋15％＝21％）所有しており、
　　　当社はF社の重要な販売先である（重要な事業上の取引がある）ため、F社は当社の関連会
　　　社に該当する。関連会社が発行した株式は関係会社株式として投資その他の資産に表示する。

　　※　F社株式については、前期末に減損処理が行われているため、帳簿価額は前期末時価（3,600
　　　千円）となる。

　　　　<u>8,000千円×50％（＝4,000千円）</u>≧<u>3,600千円</u>　∴減損処理の適用あり
　　　　取得原価　　　　　　　　　　　　　前期末時価

問題
10
解答

(2) G社株式（市場価格のあるその他有価証券）

① 評価差額の振り戻し

（繰延税金資産）	＊	280	（有価証券）	＊	700
（その他有価証券評価差額金）	＊	420			

＊ イ 評価差額： <u>4,600千円</u> － <u>3,900千円</u>＝700千円
　　　　　　　　前期末時価　　取得原価

　　 ロ 繰延税金資産：700千円×40％＝280千円

　　 ハ その他有価証券評価差額金：700千円－280千円＝420千円

※ 本来は繰延税金負債が計上されているが、決算整理前残高試算表の繰延税金資産と相殺されているため、便宜上、繰延税金資産を使って解消仕訳を示している。

② 期末評価

（投資有価証券）	4,800	（有価証券）		3,900
		（繰延税金負債）	＊	360
		（その他有価証券評価差額金）	＊	540

＊ ① 評価差額： <u>4,800千円</u> － <u>3,900千円</u>＝900千円
　　　　　　　　当期末時価　　取得原価

　　 ② 繰延税金負債：900千円×40％＝360千円

　　 ③ その他有価証券評価差額金：900千円－360千円＝540千円

※ 純資産項目の変動につき、株主資本等変動計算書の記載が必要となる。

(3) H社株式（市場価格のあるその他有価証券）

① 評価差額の振り戻し

（繰延税金資産）	＊	80	（有価証券）	＊	200
（その他有価証券評価差額金）	＊	120			

＊イ 評価差額：<u>12,600千円</u>－<u>12,400千円</u>＝200千円
　　　　　　　　前期末時価　　取得原価

　　 ロ 繰延税金資産：200千円×40％＝80千円

　　 ハ その他有価証券評価差額金：200千円－80千円＝120千円

※ 本来は繰延税金負債が計上されているが、決算整理前残高試算表の繰延税金資産と相殺されているため、便宜上、繰延税金資産を使って解消仕訳を示している。

② 購入時の修正

（有価証券）	3,000	（仮払金）	3,000

③ 売却時の修正

（仮 受 金）	6,200	（有 価 証 券）	＊	6,160
		（投資有価証券売却益）		40
		＜特 別 利 益＞		

＊ $(\underset{\text{取得原価}}{12,400千円}+\underset{\text{購入}}{3,000千円})\times\dfrac{100株}{200株+50株}=6,160千円$

④ 期末評価

（投 資 有 価 証 券）		9,000	（有 価 証 券）	＊1	9,240
（繰 延 税 金 資 産）	＊2	96			
（その他有価証券評価差額金）	＊2	144			

＊1 $\underset{\text{取得原価}}{12,400千円}+\underset{\text{購入}}{3,000千円}-\underset{\text{売却}}{6,160千円}=9,240千円$（期末保有分）

＊2 イ 評価差額：$\underset{\text{期末保有分}}{9,240千円}-\underset{\text{当期末時価}}{9,000千円}=240千円$

　　ロ 繰延税金資産：240千円×40％＝96千円

　　ハ その他有価証券評価差額金：240千円－96千円＝144千円

※ 純資産項目の変動につき、株主資本等変動計算書の記載が必要となる。

(4) I社社債（満期保有目的の債券）

| （投 資 有 価 証 券） | ＊1 | 3,855 | （有 価 証 券） | | 3,840 |
| | | | （有 価 証 券 利 息） | ＊2 | 15 |

＊1 売買目的以外の債券で、満期日が翌々期以降に到来するため、投資有価証券として投資その他の資産に表示する。

＊2 $3,840千円\times2.86\%\times\dfrac{6カ月}{12カ月}-4,000千円\times2.00\%\times\dfrac{6カ月}{12カ月}$

　　＝15千円（千円未満四捨五入）

(5) 自己株式

① 表示科目への振替え

| （自　己　株　式） | 2,100 | （有　価　証　券） | 2,100 |

② 売却時（X2020年11月）の修正

| （仮　　受　　金） | 660 | （自　己　株　式） | ＊ | 630 |
| | | （その他資本剰余金） | | 30 |

＊　$2,100千円 \times \dfrac{600株}{2,000株} = 630千円$

※　純資産項目の変動につき、株主資本等変動計算書の記載が必要となる。

5　棚卸資産に関する事項

(1) 商品

（売　上　原　価） ＜期首商品棚卸高＞	240,000	（商　　　　　　品）		240,000
（売　上　原　価） ＜当期商品仕入高＞	3,626,400	（商　品　仕　入　高）		3,626,400
（販売費及び一般管理費） ＜広　告　宣　伝　費＞	＊1　4,800	（売　上　原　価） ＜広告宣伝費振替高＞	＊1	4,800
（売　上　原　価） ＜商　品　減　耗　損＞	＊3　132	（売　上　原　価） ＜期末商品棚卸高＞	＊2	183,375
（売　上　原　価） ＜商　品　評　価　損＞	＊4　10,325			
（商　品　評　価　損） ＜特　別　損　失＞	＊5　870			
（商　　　　　　品）	＊6　172,048			

＊1　K商品：$\underset{\text{原価}}{\underline{12,000円／個}} \times (\underset{\text{見本品数量}}{\underline{8,600個 - 8,200個}}) = 4,800千円$

＊2　①　J商品：$\underset{\text{原価}}{\underline{6,600円／個}} \times \underset{\text{帳簿数量}}{\underline{6,200個}} = 40,920千円$

　　　②　K商品：$\underset{\text{原価}}{\underline{12,000円／個}} \times \underset{\text{修正後帳簿数量}}{\underline{8,200個}} = 98,400千円$

　　　③　L商品：$\underset{\text{原価}}{\underline{8,900円／個}} \times \underset{\text{帳簿数量}}{\underline{4,950個}} = 44,055千円$

　　　④　①＋②＋③＝183,375千円

＊3　J商品：$\underset{\text{原価}}{\underline{6,600円／個}} \times (\underset{\text{減耗数量}}{\underline{6,200個 - 6,180個}}) = 132千円$

＊4　①　K商品：$\{\underset{\text{原価}}{\underline{12,000円／個}} - (\underset{\text{正味売却価額}}{\underline{11,700円／個 - 900円／個}})\} \times \underset{\text{実地数量}}{\underline{8,200個}} = 9,840千円$

　　　②　L商品：$\{\underset{\text{原価}}{\underline{8,900円／個}} - (\underset{\text{正味売却価額}}{\underline{9,600円／個 - 800円／個}})\} \times (\underset{\text{良品数量}}{\underline{4,950個 - 100個}}) = 485千円$

③ ①＋②＝10,325千円

＊5 L商品：(8,900円／個－ 200円／個)× 100個 ＝870千円
　　　　　　　原価　　　処分見込価額　不良品数量

＊6 183,375千円－132千円－(10,325千円＋870千円)＝172,048千円
　　　帳簿棚卸高　　減耗損　　　　　評価損

※ 売上原価

240,000千円＋3,626,400千円－4,800千円－183,375千円＋132千円＋10,325千円
　期首　　　　　仕入　　　　見本品　　　　期末　　　減耗損　　評価損

＝3,688,682千円

(2) 貯蔵品

| （販売費及び一般管理費） | 9,600 | （貯　　蔵　　品） | 9,600 |
| （貯　　蔵　　品） | 8,640 | （販売費及び一般管理費） | 8,640 |

6 有形固定資産に関する事項

(1) 建設仮勘定

① 改修時の修正

| （建　　　　　物）　＊ | 5,000 | （建　設　仮　勘　定） | 15,000 |
| （販売費及び一般管理費）　＊
＜修　　繕　　費＞ | 10,000 | | |

＊ イ 改修前残存耐用年数：30年－20年＝10年

ロ 改修後残存耐用年数：10年＋5年＝15年

ハ 延長された耐用年数：5年

ニ 資本的支出：15,000千円×$\frac{5年}{15年}$＝5,000千円

ホ 収益的支出：15,000千円－5,000千円＝10,000千円

② 減価償却

| （販売費及び一般管理費）　＊
＜減　価　償　却　費＞ | 2,300 | （建物減価償却累計額） | 2,300 |

＊ イ 既存の建物の期首減価償却累計額

100,000千円×0.9×$\frac{20年}{30年}$＝60,000千円

ロ 既存の建物の減価償却費

(100,000千円－60,000千円－100,000千円×0.1)×$\frac{1年}{15年}$＝2,000千円

ハ 資本的支出部分の減価償却費

5,000千円×0.9×$\frac{1年}{15年}$＝300千円

ニ ロ＋ハ＝2,300千円

(2) 器具備品

① リース資産及びリース債務の計上

| （リース資産） | ＊ | 57,120 | （リース債務） | ＊ | 57,120 |

＊　イ　リース料総額の割引現在価値

57,120千円

ロ　見積現金購入価額

59,040千円

ハ　リース資産及びリース債務の計上額

$\underset{\text{割引現在価値}}{\underline{57,120千円}} < \underset{\text{見積現金購入価額}}{\underline{59,040千円}}$ 　　∴　57,120千円

② リース料の支払い

| （支　払　利　息） | ＊1 | 60 | （仮　払　金） | 1,250 |
| （リ　ー　ス　債　務） | ＊2 | 1,190 | | |

＊1　$(60,000千円 - 57,120千円) \times \dfrac{1カ月}{12カ月 \times 4年} = 60千円$（1カ月あたりの利息相当額）

＊2　$\underset{\text{リース料}}{\underline{1,250千円}} - \underset{\text{支払利息}}{\underline{60千円}} = 1,190千円$

③ 減価償却費

| （販売費及び一般管理費）
＜減価償却費＞ | ＊ | 1,190 | （リース資産減価償却累計額） | 1,190 |

＊　$57,120千円 \times \dfrac{1カ月}{12カ月 \times 4年} = 1,190千円$

④ 長期リース債務への振替

| （リース債務） | 41,650 | （リース債務（長期））
＜固定負債＞ | ＊ | 41,650 |

＊　リース債務の翌期返済額

1,190千円×12カ月＝14,280千円

リース債務の翌々以降返済額（長期リース債務）

57,120千円－1,190千円－14,280千円＝41,650千円

(3) 貸借対照表表示

① 建物：$\underset{\text{取得原価}}{\underline{(102,880千円 + 5,000千円)}} - \underset{\text{減価償却累計額}}{\underline{(92,810千円 + 2,300千円)}} = 12,770千円$

② 車両：$\underset{\text{取得原価}}{\underline{10,100千円}} - \underset{\text{減価償却累計額}}{\underline{2,775千円}} = 7,325千円$

③ リース資産：$\underset{\text{取得原価}}{\underline{57,120千円}} - \underset{\text{減価償却累計額}}{\underline{1,190千円}} = 55,930千円$

7　ソフトウェアに関する事項

(1)　在庫管理

（販売費及び一般管理費） ＜ソフトウェア償却＞	＊	2,400	（ソ　フ　ト　ウ　ェ　ア）　　　2,400

$$* \quad 6,800千円 \times \frac{12カ月}{5年 \times 12カ月 - 26カ月} = 2,400千円$$

(2)　事務管理

（販売費及び一般管理費） ＜ソフトウェア導入費＞	＊1	100　　　（ソ　フ　ト　ウ　ェ　ア）　　　2,740
（販売費及び一般管理費） ＜ソフトウェア償却＞	＊2	2,640

＊1　ソフトウェアの導入に当たって必要とされる設定作業及び自社の仕様に合わせるために行う付随的な修正作業等の費用は、ソフトウェアの取得価額に含める。ソフトウェアの操作をトレーニングするための費用（操作研修のためのテキスト代）は、ソフトウェア導入費として販売費及び一般管理費に計上する。

$$*2 \quad (13,300千円 - 100千円) \times \frac{12カ月}{5年 \times 12カ月} = 2,640千円$$

8　借入金に関する事項

(1)　A銀行

（借　　入　　金）	32,400	（短　期　借　入　金）　＊	7,200
		（長　期　借　入　金）　＊	25,200

＊　①　1回あたりの返済額：$(36,000千円 - 32,400千円) \times \dfrac{1回}{6回} = 600千円$

②　翌期返済額：$600千円 \times 12回 = 7,200千円$

※　本来は「1年以内返済長期借入金」として表示すべきであるが、答案用紙の解答スペースから「短期借入金」に含めて表示する。

③　翌々期以降返済額：$32,400千円 - 7,200千円 = 25,200千円$

(2)　B銀行

（借　　入　　金）	45,000	（短　期　借　入　金）　＊1	10,000
		（長　期　借　入　金）　＊1	35,000
（支　払　利　息）　＊2	375	（未　払　費　用）	375

＊1　①　1回あたりの返済額：$(50,000千円 - 45,000千円) = 5,000千円$

②　翌期返済額：$5,000千円 \times 2回 = 10,000千円$

※　本来は「1年以内返済長期借入金」として表示すべきであるが、答案用紙の解答スペースから「短期借入金」に含めて表示する。

③ 翌々期以降返済額：45,000千円－10,000千円＝35,000千円

*2　$45,000千円 \times 2\% \times \dfrac{5カ月}{12カ月} = 375千円$

9　退職給付引当金に関する事項

(1) 掛金拠出時の修正

（退 職 給 付 引 当 金）	16,000	（販売費及び一般管理費） ＜退 職 給 付 費 用＞	16,000

(2) 退職給付費用の計上

（販売費及び一般管理費）　＊ ＜退 職 給 付 費 用＞	6,240	（退 職 給 付 引 当 金）	6,240

＊　① 勤務費用：$\underset{当期末退職給付債務}{195,040千円} - (\underset{前期末退職給付債務}{192,000千円} + \underset{利息費用}{3,840千円} - \underset{年金給付}{8,000千円})$

　　　　＝7,200千円

　　② 利息費用：$\underset{前期末退職給付債務}{192,000千円} \times \underset{割引率}{2\%} = 3,840千円$

　　③ 期待運用収益：$\underset{前期末年金資産}{160,000千円} \times \underset{長期期待運用収益率}{4\%} = 6,400千円$

　　④ 数理計算上の差異の費用処理額：$\underset{\substack{前期末残高\\（損失）}}{24,000千円} - \underset{\substack{当期発生\\（利得）}}{1,600千円} - \underset{\substack{当期末残高\\（損失）}}{19,200千円}$

　　　　　　＝3,200千円（損失）

　　⑤ 過去勤務費用の費用処理額：$\underset{\substack{前期末残高\\（利得）}}{20,800千円} \times \dfrac{1年}{14年-1年} = 1,600千円（利得）$

　　⑥ 退職給付費用：①＋②－③＋④－⑤＝6,240千円

(3) 税効果会計

（繰 延 税 金 資 産）　＊	7,616	（法 人 税 等 調 整 額）	7,616

＊　① 会計上の退職給付引当金：$\underset{前期末残高}{28,800千円} + \underset{退職給付費用}{6,240千円} - \underset{掛金拠出}{16,000千円} = 19,040千円$

　　② 税務上の退職給付引当金：0千円

　　③ 税効果額：（①－②）×40％＝7,616千円

10　賞与引当金に関する事項

(1) X2020年6月の支給時の修正

（賞　与　引　当　金）	20,000	（販売費及び一般管理費） ＜従 業 員 賞 与＞	20,000

(2) 賞与引当金の計上

（販売費及び一般管理費） ＜賞与引当金繰入額＞	＊	22,000	（賞　与　引　当　金）	22,000

$$＊\quad 26,400千円 \times \frac{5カ月}{6カ月} = 22,000千円$$

(3) 税効果会計

（繰　延　税　金　資　産）	＊	8,800	（法人税等調整額）	8,800

＊　① 会計上の賞与引当金：22,000千円

　　② 税務上の賞与引当金：0千円

　　③ 税効果額：（①－②）×40％＝8,800千円

11 諸税金に関する事項

(1) 法人税、住民税及び事業税

（法人税、住民税及び事業税）	＊1	45,505	（法　人　税　等）		18,395
（販売費及び一般管理費） ＜租　税　公　課＞		2,440	（未　払　法　人　税　等）	＊2	29,550

＊1　$\underline{38,430千円}_{\text{法人税・住民税}}$　＋$\underline{9,605千円－2,440千円}_{\text{外形基準を除く事業税}}$－$\underline{90千円}_{\text{上記1(2)②}}$＝45,505千円

＊2　貸借差額

(2) 消費税

（仮　受　消　費　税　等）		339,200	（仮　払　消　費　税　等）		320,000
			（未　払　消　費　税　等）	＊	19,200

＊　貸借差額

(3) 税効果会計

（繰　延　税　金　資　産）	＊	2,378	（法人税等調整額）	2,378

＊　① 会計上の未払事業税：$\underline{9,605千円}_{\text{年税額}}$－$\underline{3,660千円}_{\text{中間納付額}}$＝5,945千円

　　② 税務上の未払事業税：0千円

　　③ 税効果額：（①－②）×40％＝2,378千円

12 剰余金の処分に関する事項（剰余金の配当）

（繰　越　利　益　剰　余　金）		3,225	（仮　　払　　金）		4,000
（そ　の　他　資　本　剰　余　金）		1,075	（利　益　準　備　金）	＊	225
			（資　本　準　備　金）	＊	75

＊　① 要積立額：$4,000千円 \times \frac{1}{10} = 400千円$

　　② 積立限度額：$108,000千円 \times \frac{1}{4} - (9,100千円 + 17,600千円) = 300千円$

③ 利益準備金積立額：300千円 × $\dfrac{3,000\ 千円}{3,000\ 千円 + 1,000\ 千円}$ ＝225千円

④ 資本準備金積立額：300千円 × $\dfrac{1,000\ 千円}{3,000\ 千円 + 1,000\ 千円}$ ＝75千円

※ 純資産項目の変動につき、株主資本等変動計算書の記載が必要となる。

13 税効果会計に関する事項

(1) 前期分の解消

（法人税等調整額）	24,516	（繰延税金資産）	＊	24,516

＊ <u>24,156千円</u> ＋ <u>280千円</u> ＋ <u>80千円</u> ＝24,516千円
　　試算表　　　G社株式　　H社株式

(2) 財務諸表表示

① 繰延税金資産の貸借対照表表示

<u>6,192千円</u> － <u>360千円</u> ＋ <u>96千円</u> ＋ <u>7,616千円</u> ＋ <u>8,800千円</u> ＋ <u>2,378千円</u>
貸倒引当金　　G社株式　　H社株式　　退職給付引当金　　賞与引当金　　未払事業税

＝24,722円

② 法人税等調整額の損益計算書表示

<u>6,192千円</u> ＋ <u>7,616千円</u> ＋ <u>8,800千円</u> ＋ <u>2,378千円</u> － 24,516千円
貸倒引当金　退職給付引当金　賞与引当金　未払事業税　　　上記(1)

＝470千円

14 その他の事項

(1) のれん

（販売費及び一般管理費） <のれん償却>	＊	42,000	（の　　れ　　ん）	42,000

＊ 280,000千円 × $\dfrac{1\ 年}{5\ 年}$ × $\dfrac{9\ カ月}{12\ カ月}$ ＝42,000千円

(2) 開発費

（販売費及び一般管理費） <開発費償却>	＊	2,560	（開　　発　　費）	2,560

＊ 19,200千円 × $\dfrac{1\ 年}{5\ 年}$ × $\dfrac{8\ カ月}{12\ カ月}$ ＝2,560千円

15 繰越利益剰余金

<u>181,710千円</u> － <u>3,225千円</u> ＋ <u>68,058千円</u> ＝246,543千円
残高試算表　　剰余金の配当　当期純利益

16 販売費及び一般管理費の計算過程

決算整理前残高試算表	492,185千円
水道光熱費	500千円
貸倒引当金繰入額	5,090千円
広告宣伝費	4,800千円
貯蔵品	9,600千円
貯蔵品	△8,640千円
修繕費	10,000千円
減価償却費	3,490千円
ソフトウェア償却	5,040千円
ソフトウェア導入費	100千円
退職給付費用	△16,000千円
退職給付費用	6,240千円
従業員賞与	△20,000千円
賞与引当金繰入額	22,000千円
租税公課（外形基準）	2,440千円
のれん償却	42,000千円
開発費償却	2,560千円
合　計	561,405千円

問2について

(単位：千円)

	株主資本						評価・換算差額等
	資本金	資本剰余金		利益剰余金		自己株式	その他有価証券評価差額金
		資本準備金	その他資本剰余金	利益準備金	繰越利益剰余金		
当期首残高	108,000	9,100	2,120	17,600	181,710	0	540
当期変動額							
剰余金の配当		75	①△1,075	225	△ 3,225		
自己株式の取得						③△2,100	
自己株式の処分			② 30			630	
当期純利益					68,058		
株主資本以外の項目の当期変動額(純額)							④ △ 144
当期変動額合計	0	75	△ 1,045	225	64,833	△ 1,470	△ 144
当期末残高	108,000	9,175	1,075	17,825	246,543	△ 1,470	396

（MEMO）

問題
10

解答

税理士受験シリーズ

2025年度版　6　財務諸表論　総合計算問題集　基礎編

（平成20年度版　2007年11月5日　初版　第1刷発行）

2024年9月5日　初　版　第1刷発行

編 著 者	Ｔ Ａ Ｃ 株 式 会 社	
	（税理士講座）	
発 行 者	多　　田　　敏　　男	
発 行 所	ＴＡＣ株式会社　出版事業部	
	（ＴＡＣ出版）	

〒101-8383
東京都千代田区神田三崎町3-2-18
電話 03 (5276) 9492 (営業)
ＦＡＸ 03 (5276) 9674
https://shuppan.tac-school.co.jp

印　　刷	株式会社　ワ　コ　ー	
製　　本	株式会社　常　川　製　本	

© TAC 2024　　　Printed in Japan

ISBN 978-4-300-11306-6
N.D.C. 336

ズバリ的中！

高い的中実績を誇る TACの本試験対策

TACが提供する演習問題などの本試験対策は、毎年高い的中実績を誇ります。
これは、合格カリキュラムをはじめ、講義・教材など、明確な科目戦略に基づいた合格コンテンツの結果でもあります。

簿記論

TAC実力完成答練 第2回

●実力完成答練 第2回［第三問］【資料2】1
【資料2】決算整理事項等
1 現金に関する事項
　決算整理前残高試算表の現金はすべて少額経費の支払いのために使用している小口現金である。小口現金については設定額を100,000円とする定額資金前渡制度（インプレスト・システム）を採用しており、毎月末日に使用額の報告を受けて、翌月1日に使用額と同額の小切手を振り出して補給している。
　2023年3月のその他の営業費として使用した額が97,460円（税込み）であった旨の報告を受けたが処理は行っていない。なお、現金の実際有高は2,700円であったため、差額については現金過不足として雑収入または雑損失に計上することとする。

2023年度 本試験問題

〔第三問〕【資料2】1
【資料2】決算整理事項等
1 小口現金
　甲社は、定額資金前渡法による小口現金制度を採用し、担当部署に100,000円を渡して月末に小切手を振り出して補給することとしている。決算整理前残高試算表の金額は3月末の補給前の金額であり、3月末の補給が既になされているが会計処理は未処理である。
　なお、3月末の補給前の小口現金の実際残高では63,000円であり、帳簿残高との差額を調査した。3月31日の午前と午後に3月分の新聞代（その他の費用勘定）4,320円（税込み、軽減税率8％）を誤って二重に支払い、午前と午後にそれぞれ会計処理が行われていた。この二重払いについては4月中に4,320円の返金を受けることになっている。調査では、他に原因が明らかになるものは見つからなかった。

財務諸表論

TAC実力完成答練 第2回

●実力完成答練 第2回［第三問］2 (3)
(3)　前期末においてC社に対する売掛金15,000千円を貸倒懸念債権に分類していたが、同社は当期に二度目の不渡りを発生させ、銀行取引停止処分を受けた。当該債権について今後1年以内に回収ができないと判断し、破産更生債権等に分類する。なお、当期において同社との取引はなく、取引開始時より有価証券（取引開始時の時価2,500千円、期末時価3,000千円）を担保として入手している。

2023年度 本試験問題

〔第三問〕2 (2)
(2)　得意先D社に対する営業債権は、前期において経営状況が悪化していたため貸倒懸念債権に分類していたが、同社はX5年2月に二度目の不渡りを発生させ銀行取引停止処分になった。D社に対する営業債権の期末残高は受取手形6,340千円及び売掛金3,750千円である。なお、D社からは2,000千円相当のゴルフ会員権を担保として受け入れている。

所得税法

TAC実力完成答練 第4回

●実力完成答練 第4回［第一問］問2
問2　所得税法第72条（雑損控除）の規定において除かれている資産について損失が生じた場合の、その損失が生じた年分の各種所得の金額の計算における取扱いを説明しなさい。
　なお、租税特別措置法に規定する取扱いについては、説明を要しない。

2023年度 本試験問題

〔第二問〕問2
問2　地震等の災害により、居住者が所有している次の(1)〜(3)の不動産に被害を受けた場合、その被害による損失は所得税法上どのような取扱いとなるか、簡潔に説明しなさい。
　なお、説明に当たっては、損失金額の計算方法の概要についても併せて説明しなさい。
　(注)「災害被害者に対する租税の減免、徴収猶予等に関する法律」に規定されている事項については、説明する必要はない。

　(1) 居住している不動産
　(2) 事業の用に供している賃貸用不動産
　(3) 主として保養の目的で所有している不動産

消費税法

TAC理論ドクター

●理論ドクター P203
10. レストランへの食材の販売
　当社は、食品卸売業を営んでいます。当社の取引先であるレストランに対して、そのレストラン内で提供する食事の食材を販売していますが、この場合は軽減税率の適用対象となりますか。

2023年度 本試験問題

〔第一問〕問2 (2)
(2)　食品卸売業を営む内国法人E社は、飲食店業を営む内国法人F社に対して、F社が経営するレストランで提供する食事の食材（肉類）を販売した。E社がF社に対し行う食材（肉類）の販売に係る消費税の税率について、消費税法令上の適用関係を述べなさい。

税理士講座のご案内

2025年合格目標コース

反復学習でインプット強化! & 豊富な演習量で実践力強化!

対象者：初学者／次の科目の学習に進む方

2024年				2025年							
9月	10月	11月	12月	1月	2月	3月	4月	5月	6月	7月	8月

9月入学 基礎マスター＋上級コース（簿記・財表・相続・消費・酒税・固定・事業・国徴）
3回転学習！年内はインプットを強化、年明けは演習機会を増やして実践力を鍛える！
※簿記・財表は5月・7月・8月・10月入学コースもご用意しています。

9月入学 ベーシックコース（法人・所得）
2回転学習！週2ペース、8ヵ月かけてインプットを鍛える！

9月入学 年内完結＋上級コース（法人・所得）
3回転学習！年内はインプットを強化、年明けは演習機会を増やして実践力を鍛える！

12月・1月入学　速修コース（全11科目）
7ヵ月～8ヵ月間で合格レベルまで仕上げる！

3月入学　速修コース
（消費・酒税・固定・国徴）
短期集中で税法合格を目指す！

税理士試験

対象者：受験経験者（受験した科目を再度学習する場合）

2024年				2025年							
9月	10月	11月	12月	1月	2月	3月	4月	5月	6月	7月	8月

9月入学　年内上級講義＋上級コース（簿記・財表）
年内に基礎・応用項目の再確認を行い、実力を引き上げる！

9月入学　年内上級演習＋上級コース（法人・所得・相続・消費）
年内から問題演習に取り組み、本試験時の実力維持・向上を図る！

12月入学　上級コース（全10科目）
※住民税の開講はございません
講義と演習を交互に実施し、答案作成力を養成！

税理士試験

※2024年7月12日時点の情報です。最新の情報は、TAC税理士講座ホームページをご確認ください。

"入学前サポート"を活用しよう!

無料セミナー ＆個別受講相談

無料セミナーでは、税理士の魅力、試験制度、科目選択の方法や合格のポイントをお伝えしていきます。セミナー終了後は、個別受講相談でみなさんの疑問や不安を解消します。

| TAC 税理士 セミナー | |

https://www.tac-school.co.jp/kouza_zeiri/zeiri_gd_gd.htm

無料Webセミナー

TAC動画チャンネルでは、校舎で開催しているセミナーのほか、Web限定のセミナーも多数配信しています。受講前にご活用ください。

| TAC 税理士 動画 | |

https://www.tac-school.co.jp/kouza_zeiri/tacchannel.html

体験入学

教室講座開講日（初回講義）は、お申込み前でも無料で講義を体験できます。講師の熱意や校舎の雰囲気を是非体感してください。

| TAC 税理士 体験 | |

https://www.tac-school.co.jp/kouza_zeiri/zeiri_gd_gd.htm

税理士11科目 Web体験

「税理士11科目Web体験」では、TAC税理士講座で開講する各科目・コースの初回講義をWeb視聴いただけるサービスです。講義の分かりやすさを確認いただき、学習のイメージを膨らませてください。

| TAC 税理士 | |

https://www.tac-school.co.jp/kouza_zeiri/taiken_form.html

税理士講座のご案内

チャレンジコース

受験経験者・
独学生待望のコース!

4月上旬開講!

開講科目	簿記・財表・法人 所得・相続・消費

基礎知識の底上げ ✕ **徹底した本試験対策**

チャレンジ講義 ✚ チャレンジ演習 ✚ 直前対策講座 ✚ 全国公開模試

受験経験者・独学生向けカリキュラムが一つのコースに!

※チャレンジコースには直前対策講座(全国公開模試含む)が含まれています。

直前対策講座

5月上旬開講!

本試験突破の最終仕上げ!

直前期に必要な対策が
すべて揃っています!

学習メディア	教室講座・ビデオブース講座 Web通信講座・DVD通信講座・資料通信講座

＼ 全11科目対応 ／

開講科目	簿記・財表・法人・所得・相続・消費 酒税・固定・事業・住民・国徴

徹底分析!「試験委員対策」

即時対応!「税制改正」

毎年的中!「予想答練」

※直前対策講座には全国公開模試が含まれています。

チャレンジコース・直前対策講座ともに詳しくは2月下旬発刊予定の
「チャレンジコース・直前対策講座パンフレット」をご覧ください。

会計業界への就職・転職支援サービス

TPB

TACの100%出資子会社であるTACプロフェッションバンク（TPB）は、会計・税務分野に特化した転職エージェントです。勉強された知識とご希望に合ったお仕事を一緒に探しませんか？ 相談だけでも大歓迎です！ どうぞお気軽にご利用ください。

人材コンサルタントが無料でサポート

Step1 相談受付
完全予約制です。HPからご登録いただくか、各オフィスまでお電話ください。

Step2 面談
ご経験やご希望をお聞かせください。あなたの将来について一緒に考えましょう。

Step3 情報提供
ご希望に適うお仕事があれば、その場でご紹介します。強制はいたしませんのでご安心ください。

正社員で働く
- 安定した収入を得たい
- キャリアプランについて相談したい
- 面接日程や入社時期などの調整をしてほしい
- 今就職すべきか、勉強を優先すべきか迷っている
- 職場の雰囲気など、求人票でわからない情報がほしい

TACキャリアエージェント

https://tacnavi.com/

派遣で働く（関東のみ）
- 勉強を優先して働きたい
- 将来のために実務経験を積んでおきたい
- まずは色々な職場や職種を経験したい
- 家庭との両立を第一に考えたい
- 就業環境を確認してから正社員で働きたい

TACの経理・会計派遣

https://tacnavi.com/haken/

※ご経験やご希望内容によってはご支援が難しい場合がございます。予めご了承ください。　※面談時間は原則お一人様30分とさせていただきます。

自分のペースでじっくりチョイス

アルバイト・正社員で働く
- 自分の好きなタイミングで就職活動をしたい
- どんな求人案件があるのか見たい
- 企業からのスカウトを待ちたい
- WEB上で応募管理をしたい

Webで

TACキャリアナビ

https://tacnavi.com/kyujin/

就職・転職・派遣就労の強制は一切いたしません。会計業界への就職・転職を希望される方への無料支援サービスです。どうぞお気軽にお問い合わせください。

 TACプロフェッションバンク

■ 有料職業紹介事業 許可番号13-ユ-010678　■ 一般労働者派遣事業 許可番号（派）13-010932
■ 特定募集情報等提供事業 届出受理番号51-募-000541

東京オフィス
〒101-0051
東京都千代田区神田神保町 1-103
東京パークタワー 2F
TEL.03-3518-6775

大阪オフィス
〒530-0013
大阪府大阪市北区茶屋町 6-20
吉田茶屋町ビル 5F
TEL.06-6371-5851

名古屋 登録会場
〒453-0014
愛知県名古屋市中村区則武 1-1-7
NEWNO 名古屋駅西 8F
TEL.0120-757-655

プライバシーマーク
10860572

TAC出版 書籍のご案内

TAC出版では、資格の学校TAC各講座の定評ある執筆陣による資格試験の参考書をはじめ、資格取得者の開業法や仕事術、実務書、ビジネス書、一般書などを発行しています！

TAC出版の書籍

*一部書籍は、早稲田経営出版のブランドにて刊行しております。

資格・検定試験の受験対策書籍

- ✪日商簿記検定
- ✪建設業経理士
- ✪全経簿記上級
- ✪税理士
- ✪公認会計士
- ✪社会保険労務士
- ✪中小企業診断士
- ✪証券アナリスト

- ✪ファイナンシャルプランナー(FP)
- ✪証券外務員
- ✪貸金業務取扱主任者
- ✪不動産鑑定士
- ✪宅地建物取引士
- ✪賃貸不動産経営管理士
- ✪マンション管理士
- ✪管理業務主任者

- ✪司法書士
- ✪行政書士
- ✪司法試験
- ✪弁理士
- ✪公務員試験(大卒程度・高卒者)
- ✪情報処理試験
- ✪介護福祉士
- ✪ケアマネジャー
- ✪電験三種　ほか

実務書・ビジネス書

- ✪会計実務、税法、税務、経理
- ✪総務、労務、人事
- ✪ビジネススキル、マナー、就職、自己啓発
- ✪資格取得者の開業法、仕事術、営業術

一般書・エンタメ書

- ✪ファッション
- ✪エッセイ、レシピ
- ✪スポーツ
- ✪旅行ガイド (おとな旅プレミアム/旅コン)

TAC出版では、独学用、およびスクール学習の副教材として、各種対策書籍を取り揃えています。学習の各段階に対応していますので、あなたのステップに応じて、合格に向けてご活用ください!

（刊行内容、発行月、装丁等は変更することがあります）

●2025年度版 税理士受験シリーズ

税理士試験において長い実績を誇るTAC。このTACが長年培ってきた合格ノウハウを"TAC方式"としてまとめたのがこの「税理士受験シリーズ」です。近年の豊富なデータをもとに傾向を分析、科目ごとに最適な内容としているので、トレーニング演習に欠かせないアイテムです。

簿記論

01	簿 記 論	個別計算問題集	（8月）
02	簿 記 論	総合計算問題集 基礎編	（9月）
03	簿 記 論	総合計算問題集 応用編	（11月）
04	簿 記 論	過去問題集	（12月）
	簿 記 論	完全無欠の総まとめ	（11月）

財務諸表論

05	財務諸表論	個別計算問題集	（8月）
06	財務諸表論	総合計算問題集 基礎編	（9月）
07	財務諸表論	総合計算問題集 応用編	（12月）
08	財務諸表論	理論問題集 基礎編	（9月）
09	財務諸表論	理論問題集 応用編	（12月）
10	財務諸表論	過去問題集	（12月）
33	財務諸表論	重要会計基準	（8月）
※	財務諸表論	重要会計基準 暗記音声	（8月）
	財務諸表論	完全無欠の総まとめ	（11月）

法人税法

11	法 人 税 法	個別計算問題集	（11月）
12	法 人 税 法	総合計算問題集 基礎編	（10月）
13	法 人 税 法	総合計算問題集 応用編	（12月）
14	法 人 税 法	過去問題集	（12月）
34	法 人 税 法	理論マスター	（8月）
※	法 人 税 法	理論マスター 暗記音声	（9月）
35	法 人 税 法	理論ドクター	（12月）
	法 人 税 法	完全無欠の総まとめ	（12月）

所得税法

15	所 得 税 法	個別計算問題集	（9月）
16	所 得 税 法	総合計算問題集 基礎編	（10月）
17	所 得 税 法	総合計算問題集 応用編	（12月）
18	所 得 税 法	過去問題集	（12月）
36	所 得 税 法	理論マスター	（8月）
※	所 得 税 法	理論マスター 暗記音声	（9月）
37	所 得 税 法	理論ドクター	（12月）

相続税法

19	相 続 税 法	個別計算問題集	（9月）
20	相 続 税 法	財産評価問題集	（9月）
21	相 続 税 法	総合計算問題集 基礎編	（9月）
22	相 続 税 法	総合計算問題集 応用編	（12月）
23	相 続 税 法	過去問題集	（12月）
38	相 続 税 法	理論マスター	（8月）
※	相 続 税 法	理論マスター 暗記音声	（9月）
39	相 続 税 法	理論ドクター	（12月）

酒税法

| 24 | 酒 税 法 | 計算問題+過去問題集 | （2月） |
| 40 | 酒 税 法 | 理論マスター | （8月） |

消費税法

固定資産税

事業税

住民税

国税徴収法

※暗記音声はダウンロード商品です。TAC出版書籍販売サイト「サイバーブックストア」にてご購入いただけます。

●2025年度版 みんなが欲しかった！税理士 教科書＆問題集シリーズ

「効率的に税理士試験対策の学習ができないか？ これを突き詰めてできあがったのが、「みんなが欲しかった！税理士 教科書＆問題集シリーズ」です。必要十分な内容をわかりやすくまとめたテキスト（教科書）と内容確認のためのトレーニング（問題集）が1冊になっているので、効率的な学習に最適です。」

●解き方学習用問題集

現役講師の解答手順、思考過程、実際の書込みなど、㊙テクニックを完全公開した書籍です。

●その他関連書籍

好評発売中！

TACの書籍はこちらの方法でご購入いただけます

1 全国の書店・大学生協　　**2** TAC各校 書籍コーナー

3 CYBER BOOK STORE TAC出版書籍販売サイト　アドレス https://bookstore.tac-school.co.jp/

・2024年7月現在　・年度版各巻の価格は、決定しだい上記**3**のサイバーブックストアに掲載されますのでご参照ください

書籍の正誤に関するご確認とお問合せについて

書籍の記載内容に誤りではないかと思われる箇所がございましたら、以下の手順にてご確認とお問合せをしてくださいますよう、お願い申し上げます。

なお、正誤のお問合せ以外の**書籍内容に関する解説および受験指導などは、一切行っておりません。**
そのようなお問合せにつきましては、お答えいたしかねますので、あらかじめご了承ください。

1 「Cyber Book Store」にて正誤表を確認する

TAC出版書籍販売サイト「Cyber Book Store」の
トップページ内「正誤表」コーナーにて、正誤表をご確認ください。

CYBER TAC出版書籍販売サイト
BOOK STORE

URL：https://bookstore.tac-school.co.jp/

2 1の正誤表がない、あるいは正誤表に該当箇所の記載がない
⇒ 下記①、②のどちらかの方法で文書にて問合せをする

★ご注意ください★

お電話でのお問合せは、お受けいたしません。
①、②のどちらの方法でも、お問合せの際には、「お名前」とともに、
「対象の書籍名（○級・第○回対策も含む）およびその版数（第○版・○○年度版など）」
「お問合せ該当箇所の頁数と行数」
「誤りと思われる記載」
「正しいとお考えになる記載とその根拠」
を明記してください。
なお、回答までに1週間前後を要する場合もございます。あらかじめご了承ください。

① ウェブページ「Cyber Book Store」内の「お問合せフォーム」より問合せをする

【お問合せフォームアドレス】

https://bookstore.tac-school.co.jp/inquiry/

② メールにより問合せをする

【メール宛先　TAC出版】

syuppan-h@tac-school.co.jp

※土日祝日はお問合せ対応をおこなっておりません。
※正誤のお問合せ対応は、該当書籍の改訂版刊行月末日までといたします。

乱丁・落丁による交換は、該当書籍の改訂版刊行月末日までといたします。なお、書籍の在庫状況等により、お受けできない場合もございます。
また、各種本試験の実施の延期、中止を理由とした本書の返品はお受けいたしません。返金もいたしかねますので、あらかじめご了承くださいますようお願い申し上げます。

（2022年7月現在）